ナリスのかぼそい、力ない手が、しずかにグインの頭のかたちをさぐり……
(190ページ参照)

ハヤカワ文庫JA
〈JA706〉

グイン・サーガ87

ヤーンの時の時

栗本　薫

早川書房
5076

THE TIME OF THE THRENETIC TIME

by

Kaoru Kurimoto

2002

カバー／口絵／挿絵

末弥　純

目次

いまはたゞ昏き河面のトゥオネラに
　白鳥ひとつしゞまに浮かべ

時の河におもひたへなんこゝちして
　あえかに夢にかへり給ふや

なにをかもおもふべきとやうすずみの
　さくらいまだしにびいろのきぬ

〔中原周辺図〕

ナタール川
ヴァーラス湖沼地帯
ノスフェラス
ナタール大森林
ギーラ湖
ナタリ湖
ケス河
サイロン
ユラニア
ケイロニア
トーラス
ノルン海
アルセイス
ゴーラ
ロス
モンゴール
クム
カムイ湖
タリア
タリア
リーラ川
ワルド山脈
中原
ルーアン
イーラ湖
クリスタル
オロイ湖
アルムト
パロ
アルーンの森
カラヴィア
サルジナ
ダル湖
ダネイン大湿原
ドラス連山
ハイランド高地
ウル山脈
カムリ岬
ルート
ウィレン山脈
ラトナレン山脈
アグラーヤ
サーリスベリ
ランガート
アルート高原
カウロス
獅子原
ライゴール
レンティア
草原地方
トルース
トラキア自治領
リャガ
ヤガ
イフリキア
マハール
トルフィヤ
ヴァラキア
アルゴス
沿海州
アルカンド
アルゴ河
レント海

〔パロ周辺図〕

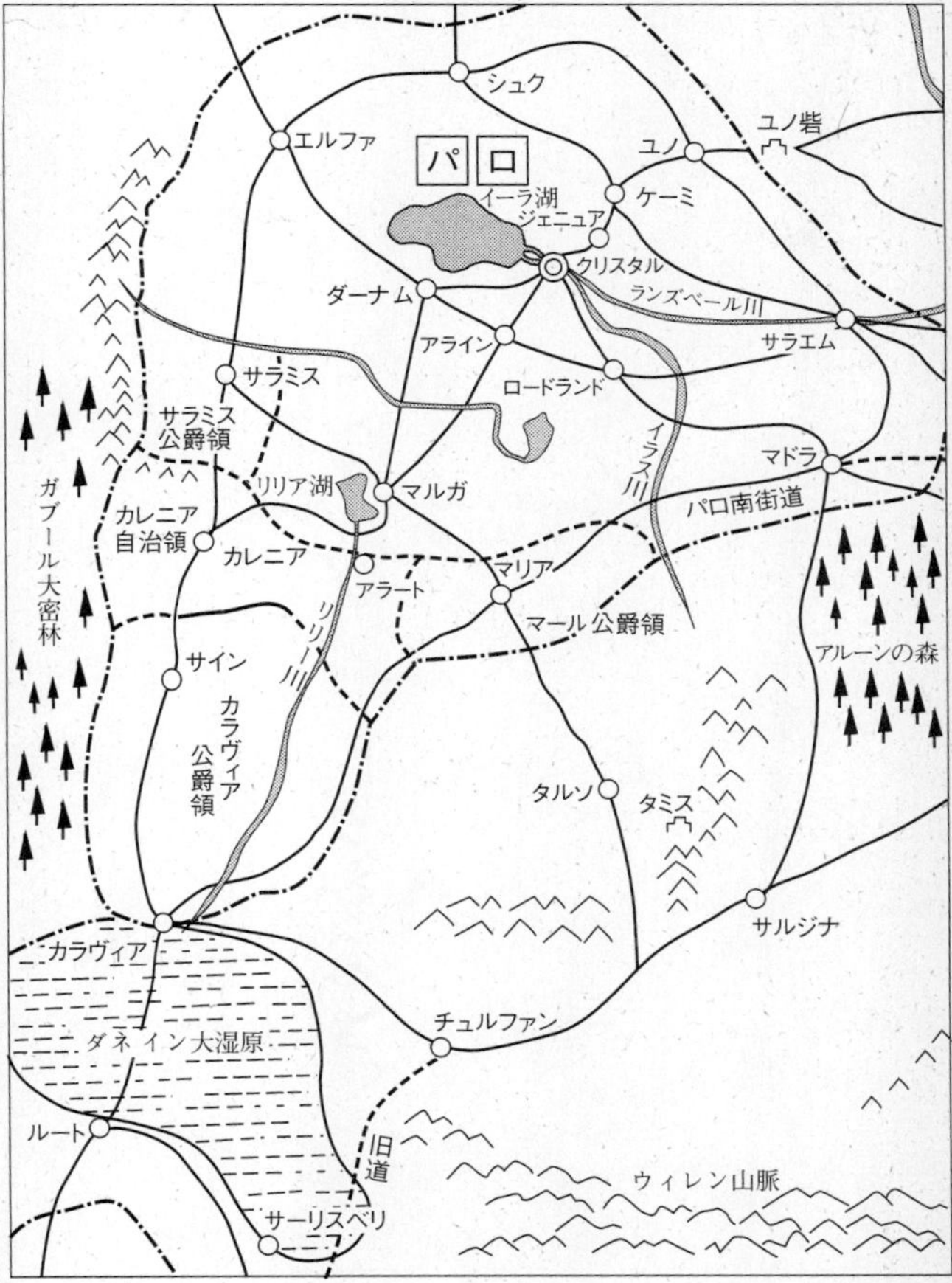

シュク
ユノ砦
ユノ
エルファ
パロ
ケーミ
イーラ湖
ジェニュア
クリスタル
ダーナム
ランズベール川
アライン
サラエム
サラミス
ロードランド
サラミス
公爵領
イラス川
マドラ
ガブール大密林
リリア湖
マルガ
パロ南街道
カレニア
自治領
カレニア
アラート
マリア
マール公爵領
サイン
リリア川
アルーンの森
カラヴィア
公爵領
タルソ
タミス
サルジナ
カラヴィア
チュルファン
ダネイン大湿原
ルート
旧道
ウィレン山脈
サーリスベリ

ヤーンの時の時

登場人物

グイン……………………………………ケイロニア王
ゼノン……………………………………ケイロニアの千犬将軍
アルド・ナリス…………………………神聖パロ初代国王
リンダ……………………………………神聖パロ王妃
ヴァレリウス……………………………神聖パロの宰相。上級魔道師
ヨナ………………………………………神聖パロの参謀長
リギア……………………………………聖騎士伯。ルナンの娘
カイ………………………………………ナリスの小姓頭
イシュトヴァーン………………………ゴーラ王
マルコ……………………………………イシュトヴァーンの副官

第一話　休戦

1

「な…………っ——」

　一瞬——

　ヴァレリウスは、口がきけなくなった。

　ヴァレリウスだけではない。

　そこにいあわせた誰もが——グインは知らず、ゼノンも、グインの部下たちも、魔道師たちも——思わず、息をのんだ。

　さやさやさや——と、風が、遠くの梢を鳴らして、なにごともなかったかのように吹きすぎる。

「なんという……」

　ヴァレリウスは、思わず口をぱくぱくさせた。なんといっていいのか、ことばも出ない、というようすだった。彼の灰色の聡明そうな目は、だが一瞬後には、どうしようもない怒りと憤懣に燃えたぎった。

「あなたは、まあ、なんという……なんてバカな……」

「ふん」

大地に大あぐらをかいたまま、イシュトヴァーンはニヤリとふてぶてしく笑う。宿敵ともいうべき——というより、ただ単に『相性が悪い』といったほうがいいのかもしれなかったが——ヴァレリウスに、そういう反応を呼び覚ませたこと自体が、面白くて、痛快でならぬようすだ。

「たまげやがったか。ざまあ見ろ」

「そこまで——そこまでバカだとは思わなかったッ」

ヴァレリウスは怒りのあまり、歯がみして、足を踏みならした。その顔がみるみる真っ赤に染まった。

「いったい、一体全体、いまとなって、そこまで強情をはって、何の得があるっていうんです。いったい、あなたは、自分のおかれてる立場をわかっているんですかッ——そんなことをして一体何の……」

「得だと。お前の泣き顔が見られるじゃねえか。それだけでも、最高だよ、ばーか」

「な——なッ……」

　また、ヴァレリウスは怒りのあまり、口がきけなくなった。

「あなたは、あなたって人は、国際政治をなんだと──戦争をなんだと思ってるんですかッ！　それでも、そ、それでも一国の浮沈をあずかる国王といえるんですかッ！　あ、あなたには、国王の資格など、資格など……」

「ねえよ、俺は盗賊だからな。赤い街道の盗賊、ごろつきの野盗なんだ、そうなんだろ」

　イシュトヴァーンは満悦でニヤニヤ笑いながらヴァレリウスを見上げた。

「俺のことをさんざそう云ったのはてめえじゃねえか。それがわかってるんだったら、いまになってそう驚くってのはよっぽど、てめえのどう──どうさつりょくがねえんだぜ。ばーか」

「グイン陛下ッ」

　ヴァレリウスは怒鳴った。

「こいつをなんとかして下さい。こんなばかは私の……私の手には負えません」

「まあ、そういうな、ヴァレリウス」

　グインは笑った。少なくとも、グインのほうは、イシュトヴァーンのその云い放った不敵な、というよりもあまりにも挑発的なことば──「俺はイシュタールに帰る。ただし、ナリスさまは返さねえ。俺は言い出したことは守るんだ。ナリスさまはイシュタールに連れてゆく。これが俺の返事だ、グイン!」——という、そのことばに、ヴァレリウスの半分も、心をかき乱されたようすはなかった。

　ゼノンはひたすら目をまん丸くしてこのやりとりを眺めているばかりだ。

「俺は、実のところ、ゴーラ王は見かけほどごろつきでもなければ、考えなしな男でもないとつねづね思っているのだよ。イシュトヴァーンがそのようにいうからには、必ずそれなりに勝算もあれば、彼自身のもくろみも実は別のところにあるのさ。そのくらいの知恵はまわる男だ。それに、手もなく乗せられるとは、おぬしらしくないぞ、ヴァレリウス」

「わ、私は……」

　ヴァレリウスは顔を真っ赤にした。

「こんな男にちょっとでも知能があると期待したおのれが馬鹿だったと……」

「まあな。俺に知能があることすら見抜けなかったお前が馬鹿だ、ってことだな」

「そう、にくまれ口をたたいていっそうヴァレリウスを刺激するな、イシュトヴァーン。話がややこしくなるだけだ」

　グインは笑い出した。

「ともかく、将兵たちがいったいここで何ごとがおこっているのかと騒ぎはじめている。いったん立って、そして兵士たちを落ち着かせてやらんか。その上で、あらたに天幕をもうけさせるゆえ、和平の交渉に入るとしよう。おぬしも、そのように大地に座っていては尻が冷えるだろう」

「和平の交渉だと」

イシュトヴァーンはずる賢そうにまたたきながらグインを見上げた。

「ケイロニアは、ゴーラに対して和平の交渉に入るっていうのか？」

「ああ。そうだ」

グインは平然と答えた。

「もとよりわれわれは神聖パロ王妃リンダの要請により、救援にやってきたもの——ゴーラ王が、戦意を喪失したとあるからは、われらケイロニア軍には、ゴーラ軍とたたかう理由がない。和平の交渉に入るにやぶさかではないさ」

「グイン陛下！」

ヴァレリウスが何か叫ぼうとする。それをグインはかるく手で制した。

「ともかくそのままの格好ではそれこそ格好がつくまい。さあ、イシュトヴァーン」

つと寄っていって、手をさしのべる。イシュトヴァーンはじろりとそれを見て、それから、グインの巨大な手に手をさしのべて、ぐいと身をおこした。

遠くからでも、巨大な豹頭の戦士が——ひと目でそれとわかるケイロニアの豹頭王が、いかにも降参したといわぬばかりに大地に座り込んでいたゴーラ王に手をさしのべ、その手にこたえてゴーラ王が立ち上がったのははっきりと見えたのだろう。両軍の兵士たちのあいだから、奇妙などよめきとも、歓声ともつかぬものがあがる。明らかに、ゴーラ軍の兵士たちの口からあがったどよめきは、安堵の響きを帯びていた。

イシュトヴァーンはそれにちらりと遠く目をくれた。ゆがんだ、いかにも皮肉そうな微笑をうかべて、黙ってマントのすその泥を払い、身づくろいをする。人々はなんとなく気圧されたようにそのようすを見守っていた。

「イシュトヴァーン王と連合軍はこれより和平の交渉を開始したいと思う」

グインは、大きな、あたりによくひびく声でよばわった。

「近習たち、とりあえず、和平の交渉のため、天幕を用意してくれ。それまでは、ゴーラ王には俺がもてなしていよう。椅子と、それに飲み物を。ゴーラ王は火酒をお好みのようだ」

「その火酒のなかに毒でも飼う気でなければな」

相変わらず皮肉そうにイシュトヴァーンがつけつけという。ヴァレリウスはまたしても、腹の虫をおさえかねた。

「陛下、私は申し上げなくてはなりませんが、和平の交渉などと……そのようなこと、このならず者をいっそう甘やかし、つけあがらせるだけではありませんか。もう、この男には、われわれに立ち向かい、さからう余力はありません。単身ここに切り込んできて、こうして陛下に打ち破られたからには、こやつはすでにわれら連合軍の捕虜以外のものではありますまい。もしもあくまでこのわからずやがわがアル・ジェニウスの身柄をたてにとってなんだかんだ言い張るにしても、そのさいには、お前こそ、われら連合軍の人質なのだぞ、と云いわたして引導をわたしてやればよろしいのでは……そして、ナリスさまのお身柄と引き替えでなくば、そちらの総大将、国王は無事に釈放はならぬ、とゴーラ軍の司令部に使いを出してやればすむことなのでは……」

このヴァレリウスの言い分に、イシュトヴァーンはこんどは何もいわなかった。ただ、いっそうばかにしたように、ヴァレリウスのかんにさわるニヤニヤ笑いをうかべながら、グインとヴァレリウスを見比べただけだった。

「ヴァレリウス」

グインは重々しく云った。

「どうも、おぬしは非常にすぐれた参謀でもあり、人柄も俺はたいへん好ましく思っているのだが、ただひとつ、おぬしのアル・ジェニウスのことになると、おぬしはかなり理性を失うきらいがあるな。おぬしのその売り物のその理性と知性が、まったく作動しなくなる一点がある、などということは、魔道師にとってはなかなかに好ましいことは言えぬと思うぞ。——それに、わかっておいてもらわねばならぬが、これは——」

グインの目がちょっとするどい光を放った。

「あえて言わせてもらうならば、これは連合軍とゴーラ軍との交渉ではなく、ケイロニア軍とゴーラ王との交渉である、と考えていただきたい。ここに神聖パロの利害がからんでくると、また話がまとまるものもまとまらなくなる。いま少し、ケイロニア王に時間をいただきたい。神聖パロとゴーラ王の交渉は、そのあとでも遅くないのではないかと思うが」

「し、しかし」

ヴァレリウスは何かいいかけた。だが、ふいに、何かはっとしたように、くちびるをかんで、黙ってしまった。

「あんたは、やっぱ、大人物だけのことはあるね、グイン」

平然と、そのヴァレリウスを嘲弄するような笑いをうかべながら、イシュトヴァーンが云った。

「そうとも、俺はあんたに負けたんであって、それはゴーラ王イシュトヴァーンが、ケイロニア王グインに一騎打ちで負けただけのことだからな。だが、それはゴーラ軍がケイロニア軍に負けたことは必ずしも意味しないはずだ。ましてや、ゴーラ軍がケイロニア－神聖パロ連合軍に敗れた、などということはまったく、俺もゴーラ軍のやつらも認めないだろうと思うぞ」

「そんな理屈が通るとでも……」

思わずまた、かっとなってヴァレリウスは言いかけた。が、グインにこんどは強く手をあげて制止されて、また黙ってしまった。

「さあ、もうよかろう」

グインは落ち着き払って云った。

「今度は少々、旧友どうしの腹蔵ない話し合いとゆこう。天幕の用意もできたようだ。お前も、それでかまわぬのだろうな、イシュトヴァーン」


というわけで——

不平たらたらというよりも、どうもいろいろなことを内心は云いたくて云いたくてたまらぬようすのヴァレリウスが、不承不承神聖パロ軍の本陣にひきとってゆき、ゼノンたちさえも遠ざけられて、用意のできた天幕のなかに招じ入れられたのは、グインと、イシュトヴァーンただ二人であった。ゼノンは一瞬、「お二人きりでは……むろん一切何も他言やよけいな差し出口は申しませんので、それがしを、陛下の護衛に……」と言いかけたが、グインにじろりと見られて黙ってしまった。他のものはむろん、何ひとつ口の出せようはずもない。

イシュトヴァーンは武装を解除されることもなく——結局、はねとばされた剣も、ちゃんとグインの命令で彼の鞘に戻っていたのだ——用意された天幕のなかに入った。ガウスたちが天幕の周囲の護衛を命じられただけで、あとは連合軍はいっときくつろいで休息をとっているように命じられた。グインはイシュトヴァーンを用意させた長椅子にくつろがせると、小姓に命じて火酒を持ってこさせた。

「さて、これでようやく二人きりになれたな」

小姓が火酒をおいて立ち去るのを待って、グインは、おもむろに切り出した。

「いまはもう、何をどのように語ったところで、誰にもきかれるおそれもない。何もかくしだてなく、きわめて腹を割った話し合いができることを俺は期待している。——それで、まず、聞きたいのだがな、イシュトヴァーン」

「……………」

「おぬし、なぜ、そのように、意地を張るのだ？」

むしろ、笑みを含んだおだやかな声音だった。イシュトヴァーンはまたニヤリとした。

「意地を張ってるつもりはねえけどな。だけど、ああ、あんたにならよくわかってんだろう。べつだん、そう聞いてるのは、あんたの……なんていうんだ？　一応きいとかないとまずい、みたいな、手順みたいなもんで——あんたは、なんでもわかってるんだろう。なんでもな」

「まあ、わかってないとは云わん。俺には俺の考えもある——だが、それについて、やはり当人にきちんと確かめておかねばな」

「じゃあいうけどな」

イシュトヴァーンは唇をなめた。

「俺にだって、俺の立場ってもんがあるからだよ。だから、ナリスさまはかえせねえ、それはわかるだろう」

「……」

グインは、ちょっと黙っていた。

それから、かすかに含み笑った。

「なるほどな。——俺が知りたかったのは、まさにそのことだったのだよ。——あそこにああしてヴァレリウスがいると、彼にはすまぬことだが、そのようにはお前は決して口を開きはせんだろうと思ったのでな。はずしてもらった」

「へへへへ」

イシュトヴァーンはずるそうに笑った。

「とりあえず、俺もあれだけの軍隊をひきいてゴーラからやってきてんだ。そして、まあ、このところで、かなりごり押しにごり押しを続けてマルガまできてさ……まあ、それが——いまになって、あれはヤンダルなんとやらに操られてのことでした、マルガをおとし、ナリスさまをとりこにしたのも、そのキタイのヤンちゃんとやらに変な術にかけられたためでした、なんて、てめえの三万——はもういなくなっちまったかもしれねえが、それだけの兵士たちに言えるかよ。どの面さげて、言えると思うんだ。そんなことしたら、俺は一生ゴーラ王だなんて名乗れねえばかりか、ゴーラの土地にだって戻れねえただの阿呆になっちまうぜ」

「まあ、その通りだろう」

グインは笑った。

「途中から、なんかおかしいな、なんか妙だなとは思っていたさ。俺も」

イシュトヴァーンは認めた。

「どうもなんか、このことを考えると頭が痛い、とかさ。記憶がどこかなくなってるとか……そのあたりで、なんかおかしいんじゃねえかとか……そもそもやっぱり俺はマルガにこようと思ったのは、ナリスさまに味方するためだったんだからさ。それを途中から、どうあれマルガを奇襲して、ナリスさまをいけどりにしろ、というような考えにとりつかれちまっていたというのは……なんか自分がどうしちまったんだろう、ってことはそりゃ、考えてねえわけじゃなかったさ。だが、どうしようもなかったんだ」

「それはその通りだ。ヤンダル・ゾッグの魔道はきわめて強烈だ。おぬしはそれに対して何も知らなかったし、何の備えもなかった。だから、それに操られてしまったのは、かならずしもおぬしの責任だけとは云えん」

「だからって、それは、だから、ゴーラの兵士どもに知らせるわけにはゆかねえこったろ」

イシュトヴァーンはずるそうに云った。

「やつらは、ただひたすら、俺を信じて、俺の命令によって国から出てきている、そうして、俺のいうとおりにマルガを攻め落とし、俺がすべて正しいと思ってこうしてあんたと戦っている――健気なやつらじゃねえか。可愛い奴等だよ。俺にとっちゃ、いまやこの世で誰よりも大切なやつらだ。一人でも多く、無事に国に連れ帰ってやりてえさ。だが、そのときに、いったいこれは何のために俺たちはマルガにきて、マルガを攻め落とし、マルガの市民たちのうらみをかい、そうしてこういうことになったのか、ってのにさ……ちゃんとした口実というか、筋道ってやつを、俺は与えてやらなくちゃならねえんだよ、それが――それが王様ってやつだ、司令官てやつだと俺は思ってるんだね」

「ほう、これはこれは」

グインは悪戯っぽくトパーズ色の目をまたたかせた。

「俺が思っていたよりも、実際にはお前はさらに王として考えていた、というわけなのだな。――お前がああして一騎打ちをいどんできたときに、実は、俺は、ほう、これはこれは、なかなか隅におけぬ、やるものだなと思っていたのだよ」

「……」

「俺がお前の立場にいてもおそらくはああしただろうからな。――お前はもう、あれ以上どうにもひっこみがつかなくなっていたし、といって、俺の軍とふれあってみた感触で、お前には、いま現在では、お前のひきいる三万では、連合軍とはいわぬ、ケイロニア軍を打ち破る可能性はただの一分もない、と悟られていたのだろう」

「そこまでいわれると、さすがに俺も抵抗があるけどな。なんだとこの野郎、死ぬ気なら、やれるかもしれねえよ、って云ってみたくなる」

イシュトヴァーンはくしゃっと顔をゆがめて笑った。その笑顔は皮肉っぽかったが、この数年来はじめてというほど、ずるそうで、明るく、そしてなかなかに魅力的だった。

「けど、まあ、ここでそういっててもしょうがねえ。まあな、あんたは偉いよ、グイン、まったく大したもんさ。よくまあこの大軍をここまで鍛えあげたもんだ、そいつは、褒めてやるぜ。心からな」

「有難うよ、イシュトヴァーン」

ひどく重々しくグインは答えた。

「そう、だから、俺はお前が一騎打ちを挑むようすをみせたとき、なるほど、そういう筋書きか、と思ったので、それに全面的に乗ってやることにしたのだよ。といってお前が、その一騎打ちで、俺が八百長をするだろうと期待するような卑怯者でないこともわかっていたしな。その勇気も俺は好ましく思ったし——お前がどのような武将に育っているかはもう充分見る機会があったが、お前が個人的に、どのような戦士となっているかにも興味があった。それには、手合わせしてみるのが一番いい」

「あんたってな、グイン、ときたま思うけど、俺がもうちょっとだけ若かったら、そのいかにも何があっても泰然自若とした、なんというんだ？　大人然ってのかな、何でも自分はわかってる、自分だけがすべてをわかってるって態度、何があっても突き崩してやりたくなるだろうけどな。そのためだけにでも、あんたに吠え面かかせてやりたくなると思うけどな」

イシュトヴァーンはニヤリと笑った。

「まあ、いいや。それで、手合わせしてみて、俺はどうだったんだよ？　どう思ったんだ？」

「なかなか、みごとなものだった。これは、冗談でもお世辞でもないぞ。――お世辞抜きで、いま、お前は俺の知るかぎり最強の戦士であり、最強の武将のひとりだろう」

グインはいった。奇妙なことに、それをきくと、イシュトヴァーンの頬が、ちょっと紅潮した。

「ほんとにか、グイン。ほんとに、そう思うのか」

「ああ、思うとも。それに、だから、云っただろう。思ったよりもずっと、立派にゴーラ王になっていた、と。――お前が、どう考えて一騎打ちをいどんできたかは俺にはたなごころをさすようにわかったと云った。それに加えて、俺はだが、お前が、このままではどうにもならぬこの現状を打開するために、一気に心を開いてここまで俺のふところに飛び込んでくる決断をするだろう、とまではとても予想がついていなかったのだよ。それはむしろ、ヴァレリウスが騒いでくれたおかげで俺も助かったようなものだ」

「へへへへへ、あの野郎」

「そうやって、ひとのふところに飛び込んでくる機を逸さずそうできる人間はそうそう多くはないだろうし、その方法や——またその勇気、またそれがどういうことかがわかる人間というのはもっと少ないだろう。やはり、お前は大したものだと思うぞ、イシュトヴァーン。だから、俺もまた、お前に率直にこたえてやろうと思ったのだよ。お前は、いま、ナリスどのをどうしていいのか、正直とても困っているのだろう」

「ああ」

ニヤニヤしながらイシュトヴァーンは認めた。

「けどさ……あのヴァレリウスの馬鹿だの、リンダだのを困らせてやりたい、という気持があるのは本当だよ。それに、リンダについちゃ……これはなあ、あんたが一番知ってるいきさつがあるだろう。よくもこの俺を袖にしやがって、俺とのあんな固い約束を平気で反故にしてナリスさまの女房になりやがったな、このばいため、っていう気持は、俺には、どうしたってあるからなあ。俺だってそりゃアムネリスと結婚したけどさ、そいつは、俺にとっちゃ、まったく別のことだったんだからな。それにもしも、リンダがナリスさまとああなってなければ——たぶん、俺は、アム公なんざ、女房にしちゃいなかったよ。俺はあいつとはどうにもこうにも相性が悪いんだ」

それには、グインは、彼だけがすでに知っている事実があっただけに、何もいわなかった。

「だから、とにかく——ナリスさまをおさえといて気持いいのは、やつらが吠え面かくことと——それとなあ、これは、たぶん変なんだけど、俺はけっこう、ナリスさまにこだわってんだよ。そりゃ確かに、ナリスさまをイシュタールに連れてってどうするつもりだ、っていわれたら……どうする用があるんだって云われたら困るんだけどな。俺は……俺は、ナリスさまと、う、運命共同体になるんだ、って話を……前にマルガに忍んできて、それで、ナリスさまに承知してもらったとき、嬉しかったよ。なんか、無性に嬉しかったよ——俺はもう、リンダのうらみのことも、これで水に流してやらあ、というより、リンダなんかどうでもいいや、俺がそれでナリスさまとそのなんとか共同体になっちまったら、リンダがどんなにたまげるだろうと思って、そいつのほうがかえっていい気味だったりしたよ。……ナリスさまが本当は女の人だったら何もかもまるくおさまるのになあなんて思ったりした……俺、ナリスさまに、ちょっと、普通でない気持があるのかもしれないな。変なんだけど——まあ、ああいう人だしねえ。全然ほかの男と何から何まで違うし、俺の——俺にとっては、現実に存在するとは想像もつかなかった、なんか……妖精みたいな……しかも、なんでも知ってて、なんでも出来て——昔はね、そういう、なんかすげえとてつもねえ人だったしさ」

「………」

「だから、最初からナリスさまに危害を加えるなんてつもりはなかったさ。俺にあの人を殺すなんてこと、できるわけがねえよ。他の誰はできても、あの人は……たぶん、俺は、あの人にむかって剣をふりおろしても、どれほど近いとこからでも、あたらねえだろうな、って思うんだ。手がこわばっちまって、その場で雷に打たれて死んじまうんじゃねえかって気がするほど」

グインは、何も云わなかった。

2

「だからさ……俺は」

　イシュトヴァーンはかまわずに続けた。

「俺はむしろ、マルガで歓迎されてたとしても、ナリスさまを——イシュタールに連れて帰って、こんな、マルガだの、カレニアだのってしけたとこを根城にしててもどうしようもねえだろう、いっそ、神聖パロの本拠地をゴーラにうつせばいいじゃねえか、っていうような気持も……ないわけじゃなかったんだよ。そうしたら、なんていうんだろう……ゴーラのなかにさ、神聖パロをそれこそ、ご神体みたいにおいてさ……俺なんざ、どうせ成り上がりの野盗なんだからさ。それが、神聖パロを守ってやって……どうにかなれば、そのうちクリスタルは必ず打ち破ってレムスの阿呆をやっつけて、そこにナリスさまをかえしてあげて……それでナリスさまが正式にパロ王になって、ゴーラとは、無二の味方どうしみたいになれればさ……そんなふうに、ちゃんと順序だてて考えてたってわけでもないんだけどな。なんとなく、そんなふうにさ……」

「なるほど」

グインは重々しく云った。

「それはなかなかに、ヴァレリウスにせよ、誰にせよ想像もつかなかっただろう考えだし、いまとなってはもう、お前もマルガであれだけの惨状をひきおこして神聖パロを叩きつぶしたのだから、あちらもゴーラと手をくむわけにはゆかぬのもお前にもわかるだろう。それに、お前は本当はわかっているんだろうが——やはり、おのれのつんできた所業というのは、おのれにむくいが返ってこぬというわけにはゆかぬのでな。お前はそれをどれほど失礼なみかただと思って怒っていたところで——ゴーラの援軍を受け入れることで、お前に愛妻を殺され、国をも失うはめになった黒太子スカールの怒りをかい、またモンゴールの奇襲を忘れておらぬパロの老将や国民たちの不信をまねく、というわけには、神聖パロは絶対にゆかなかったのだ。それはいまとなってはお前にもわかるだろう」

「まあ……ね」

不承不承、イシュトヴァーンは認めた。

「でも、しょうがねえじゃねえか。それが悪い、やってきたことがどうだって云われたって、俺だって、そうなろうと思ってあれやこれややったっていうよりゃさ。なんだかんだ、なりゆきがあって、そうなっちまって、それで生きのびるためだのさ、そのときの正義とか、なりゆきとか、そういうので戦ってるうちに、そうなっちまって、その結果でいろんなやつのうらみをかうことになったんだからさ。……だけど、その、スカールの女の話にしたって、俺は、そんなの、やつの女を殺してやろう、なんてつもりでやったこっちゃねえぜ。そんな気は毛頭なかった。第一モンゴールの奇襲なんて、俺の知ったこっちゃねえ、俺は昔は確かにいっときはモンゴールの傭兵だったかもしれねえが、モンゴールがパロを奇襲したあとは、もうとっくにあんたと、リンダたちを連れてノスフェラスを逃げ回って、モンゴールにとっちゃ敵といってもいいものだったじゃねえか。――それを、いまになってそんなこといわれてもさあ」

「それは確かに俺にはよくわかるなりゆきなのだが、しかし、パロにしてみれば――その奇襲で多くの悲劇を得たパロ国民にしてみれば、モンゴールは敵であり、そのモンゴール大公の良人としてゴーラ王の地位にのぼったお前もまた、敵の盟主ということになるのだよ、イシュトヴァーン」

グインは、かんで含めるように――やんちゃな子供にでも説明するように云った。

「お前がそういうのはわかるが、しかし、政治とはそういうもの、歴史とはそういうもの、そして個人とは歴史や政治や世界のひろがりの前で、そうやって飲み込まれてゆくものでしかないのだ。あのときはこうだった筈、そういうつもりではなかった、こうなりたいと思ったことなどなかった、などといかに当人が思ったところで、世界が見るのはただ、そうあらわれてきた結果だけだ。お前はいまやゴーラの殺人王だ。お前がそう望むと望まざるとにかかわらずな。そして、俺はたまたま、かつてのお前をも知っていたし、いまのお前がどれほどかつてから遠くにきてしまったにせよ、そのなかにはやはりかつてのお前、うら若い傭兵のヴァラキアのイシュトヴァーンがいるはずだ、ということも理解できる。だが、世界はお前を知らぬ。——遠くから見ていればいるほど、世界はまことのお前をも、過去のお前をも、お前が本当はこうでありたいと思っているお前をも知らぬ。だからこそ、目の前にあらわれた結果がすべてになってしまう、ということを知って行動せねばならなくなる。——お前は、あるときには一気にそれをできる勇気も知恵も胆力も持っているのだがな。だが、やはり、お前にとってはまだ、世界、というものは、遠くからいらぬお世話なことを口出しするもの、というようにしか思われぬのだろうな」

「だいぶ、そうでもなくなってきたさ、グイン、こんどの遠征で、けっこう俺も大人になったと思うよ」

肩をすくめて、イシュトヴァーンは答えた。

「とにかく、戦争ってものが……俺が思ってたよりかずっと面倒で、ずっと……なんていうんだ、これまで俺はただひたすら戦うのが好きでさ、戦ってるあいだは何もかも忘れられると思ってやってきたけど、そういうもんでもなくて……とにかくこんどの遠征に出てきて一番参ったのは、くる日もくる日も腹をすかせる三万人の野郎どもに、なんでもいいからとにかく食い物をやらなきゃならねえ、酒を、たまには服だの薬だの女だのもやらなきゃならねえってことさ。これが戦争なのかよ、俺がなんだってそんな、食い物屋の主人みたいなことばかり考えてなきゃいけねえんだ、どっから麦をもってくるか、何人分の麦の粉があって、あと何人分必要で、でもそいつを煮てくうために何個ナベが入り用でどのくらいの薪が欲しいだの、なんだってそんなことを俺が報告されなきゃならねえんだと思ったよ」

「それはしかたない」

珍しく、グインは声をたてて笑った。

「じっさいには戦争というのはそういうものだ。そして、三万人もの人間を同時に動かすというのは、最初の一人が動き出してから、三万人目が動き出すまでに実に時間がかかる。——三万人のうち、半数以上が騎兵なのだから、また、馬のかいばまでも必要になってくる。馬が弱って死んでしまえば、肉は手に入るが、かわりの馬をどうあっても調達せねばならなくなる、その金も必要になる。——お前などは、金に困らなかっただけ、さいわいなほうだと思ってもらわねばならん」

「赤い街道で盗賊やってたころにも、そのもっと前にレントの海で海賊やってたころにもさ、そんなこたあわかってると思ってたよ」

イシュトヴァーンはぶうぶういった。

「けど、盗賊どもなんざ、何が違ったって、腹がへりゃあ、勝手にどこへでも、掠奪にいって、食いたいものを食いたい放題にくらってやがったからな。俺のところへ隊長どのがやってきて、わが隊の五百人に対して、明日の糧食が百人分しかございませんが、残りの四百名の分はいつお渡しいただけましょうか、なんていいにくる、なんてこたあ一回もなかったのさ。ときたま、うまいこと、うまいエサを投げてやるだけで、盗賊どもなんざ、なんぼでもいうこときいたしな」

「軍隊というのはそういうものだ。だからこそ、私設軍隊などというものは、よほどの金持ちであってもなかなかに維持できるものではない」

「あんたと、軍隊論議をすることになるとは、思わなかったね、グイン、あのノスフェラスの荒野でも、コーセアの海の上でも、それから、はるかなゾルーディアから、ケイロニアへの長い道のりのあいだでもね」

イシュトヴァーンはちょっと懐かしそうにいった。

「けど、まあいいや。とにかく、俺は、軍隊ってのがどういうもので、戦争ってのが、目の前に敵がでてきてそいつと戦うってだけのことじゃないってことはもう、いやってほどわかったよ。だからたぶん――こん次にゃ、もっとうまくやってみせらあ。ヴァレリウスの畜生だったりすると、『この次などというものがあればですがね』とかって嫌味のひとつも抜かすんだろうけどよ」

「……」

「ナリスさまを返したら、俺の顔がたつようにしてくれるか、グイン」

「むろん」

即座にグインは答えた。

「あんたらに対してだけじゃなく……俺の軍隊に対してだぜ？　やつらは一体何のために、俺にくっついてマルガくんだりまできたのか——最初は、神聖パロを救うんだ、っていうお題目を俺はさんざん唱えちまったからな。それで張り切ってついてきたのが、途中からなんで神聖パロを討ち果たすことになっちまったのか、けっこうみんな心のなかじゃ迷ってるだろう。だが俺が怖いから、黙っている——俺は、せっかくこの苦しい遠征を経験したからにゃ、これから先、ゴーラに戻ってもこいつらが俺の軍隊の中核になってくれるだろうと思うんだよ。ゴーラはまだ若い。ユラニアはなさけねえじじいの国だったし、ゴーラはまだできたてのほやほやだ。誰にも認めてもらえてねえ国だ。——だから、ゴーラ軍で、ゴーラ軍としてのたたかいを経験したのは、俺がひきいてきたこの三万だけなんだ。ま、二万四、五千に、あんたが減らしちまったかもしれねえけどな……」

「そこまでは被害を出さぬよう命じてあるはずだ。いって、二万七、八千に減るくらいですんでいるはずだぞ」

「そ、そうかい」

いくぶん鼻白んで、イシュトヴァーンはグインを見つめた。それから、肩をすくめて続けた。

「だから、俺は……そいつらをなんとかとりまとめてゴーラに帰りたい。本当はいままでも、ナリスさまを連れて戻りたいような気はしてねえわけじゃねえよ。これはもう、ヤンダル某とは何もかかわりはねえだろうと思うけどどな。俺がたぶん、ナリスさまと……ナリスさまとなんらかのかかわりを持っていてえと思ってる、ってことだろう。あの人も、たぶんそれを知ってて――だから、あの人は、俺があの人の寝室に飛び込んだとき、『自殺する』っていって、俺をおどかして、俺をとめたんだ。俺が、あの人を殺したくねえと……キタイのなんたらがそういうからじゃなくて、俺自身がそう思ってる、ってことを知ってるからさ」

「ああ」

「ナリスさまを返すから、俺がゴーラ軍に顔がたって、ゴーラ軍がちゃんとこれはやりがいのある遠征だったんだと思って――俺をちゃんと信用してゴーラまでついて戻れるようにしてくれよ、グイン。それをあんたに頼むってのもおかしな話だってのは承知の上さ。だがあんたは、そういうのでも、ちゃんとしてくれるだろうと思わせる。……そ

うだろう、あんたには、やりかたがわかってんだろう、グイン」

「ああ。わかっている」

「そのへんが、本当、憎たらしくて、気が狂いそうになるんだけどな」

イシュトヴァーンはまた肩をすくめた。

「だが、認めるよ。あんたにかかっちゃあ俺はまだ本当の小僧っ子だろうさ。だが、いつの日かそうでなくなってみせる。たとえいまはそうやって、あんたの情けにすがってでも、いまに必ず、あんたを討ち果たしてみせる——てことは、大ケイロニアをたおしてみせる、ってことだよな。いいとも、ゴーラは世界最大の王国になる。そのために俺はこれから、もっともっと勉強する。あんたの軍の動かしかたをみてて、俺は自分がどんなに物知らずだったかわかったし、どれほどばかばかしく、おのれの身を危険にさらしてたかはじめてわかったよ、じっさい」

「だが、お前はあっという間に学習したようだ。事実、マルガ攻防での、前半分のただがむしゃらないくさぶりと、後半のごくまっとうな武将らしいいくさぶりではまるきり別人のようだった」

グインは笑った。

「そこに、お前の狂戦士の資質が加わり——それを、また、軍全体に影響させられるようになったときには、俺でさえ、ゴーラ王とその軍隊を心の底から恐れねばならなくなるだろう。——それがよこしまな目的のために導かれてゆくようだったら、俺は、残りの人生のすべてをかけ、俺のすべての力を使ってお前をたおさねばならぬと思うだろうな。だが、いまの俺にとっては、お前はむしろもうひとつの脅威にくらべてずっと安全だ、いろいろな意味で——まして、お前がそうやって、俺に腹蔵なく話してくれるようになった以上な」

「もうひとつの脅威——」

「ヤンダル・ゾッグ」

グインは云った。

「ああ」

「とにかく、キタイの脅威を中原から追い払わねばならぬ。それが俺の考えるもっとも火急の要件で、だからこそ、俺には、ここでゴーラ軍とのあいだに壊滅的ないくさを展開する気持はまったくなかった。——ナリスどのを解放してくれることを条件に、俺も、ひとつ、お前に申し出たいことがあるのだが、きいてくれるな、イシュトヴァーン」

「何だよ」

「ケイロニア遠征軍とともに、レムス王のパロ軍を討ち果たすために力を貸してほしいのだ」

「なんだとう」

イシュトヴァーンは仰天して目を見開いた。

「お前がキタイに操られていた話は、せぬわけにはゆくまい——ゴーラ軍を納得させるためにもな。そして、それだけではやはりお前もまた面目も信頼も失う。キタイにそそのかされ、あわや道をあやまりそうになったその復讐戦、という名目の上に、クリスタルに侵攻する行軍に同行して欲しいのだ。どちらにせよ、ゴーラ軍は、イシュタールに退却するにあたってはクリスタルから出撃してくるレムス・パロ軍を打ち破らねばならぬ。それが、退却、というかたちをとると、若いゴーラ軍は非常に気勢が上がらなく、また非常に士気が落ちるだろう。それに、徒労感も非常に強くなるだろう。だが、いっときとはいえたぶらかされかけた復讐戦にレムス・パロを打ち破り、ナリス陛下のためにクリスタルを取り返す義勇軍に参戦して、それに勝利してゴーラに帰る、となれば、お前の立場もたつし、ゴーラの将兵も内心いだいていた迷いはきれいに晴れるはずだ。そうではないか、イシュトヴァーン」

「………」

イシュトヴァーンは、くちびるをかるくかみしめて考えに沈んだ。

その顔を、グインはじっと見つめていた。

「俺はレムスをもまた実のところ、キタイの支配からは救出してやりたいという気持は持っている。だがこればかりは——レムス自体が、キタイと切れる気持にならねばどうなるものでもない。そのためにも――現在のクリスタルはまったく、キタイの制圧下におかれて、キタイの要塞化しているといってもいい。だが、キタイでおきた反乱のために、ヤンダルがキタイに戻っているいまこそ、キタイの勢力から、クリスタルとレムス王を解放する最大の機会だ。これを逃しては、中原の平和はない。――俺は、ゴーラ王イシュトヴァーンどのに、中原の未来のため、ケイロニア、神聖パロとの共闘をお願いしているのだ」

「あんたって……」

イシュトヴァーンは、ゆっくりと云った。

「あんたってやつはまったく……」

「何だ」

「なんというか……いやはやだな。まったく」

「ヴァレリウスとリンダは抵抗するかもしれぬが、それは俺が説得する。説得の勝算はある、と思ってくれていい」

「そりゃ、あんたなら、悪魔だって説得しちまうだろうよ。そのもっともらしい態度と、重々しい弁舌でな」

イシュトヴァーンはつぶやいた。

「そうだろうとも。――おまけに、あんたは、相手がどうしても断れないような立場に追い込まれてるのを確かめてからその話を持ってくる。そうだろう」

「それはな。それがものごとの交渉の基本だと俺は思っているのでな」

「あんたを困らせるためだけに、あんたの交渉をけって困らせてやりたい、っていう気がむらむらとしてくるんだがね」

イシュトヴァーンは顔をゆがめて笑った。

「イシュトヴァーン、それこそ、駄々っ子の如き発想と云わねばならんぞ」

「わかってるさ。だけど、あんたがあんまり偉いと、駄々っ子になってでも、困らせてやりたくもなるよ。あんたに弱みがあるとすれば、まさにそういうことかもしれないね」

「そうかな」

「いいとも」

イシュトヴァーンは舌打ちをした。

「だが、いかに俺でも、いまおのれがおかれてる立場については知ってるし――俺ひとりの問題ならともかく、二万なんぼのうちの軍勢については、どうすることもできねえからな。あんたの申し出を受けるよ、グイン――ナリスさまを無事にかえして、それで、レムス軍と対戦するケイロニア軍に参戦すればいいんだろう」

「おお」

重々しく、グインは云って、手をさしのべた。

「それは忝ないというほかはない。じっさい、おぬしのいうその危険については、俺は実はよく心得ているのだよ。——人間というものは、それが道理であればあるほど、それに背いてみたくなることだって、ずいぶんとあるものだ、ということをな。お前がそのようにふるまってくれて、とても助かる」

「いまの俺じゃ、たとえどんなにそうしたいと思ったところで、あんたと戦うのはまだ十年早いと思っただけさ」

イシュトヴァーンは無造作に、そのさしだされた手を握って、ひょいとはなした。

「だが、十年早いだけだ。ということは、十年後なら……やれるかもしれねえ。いや、俺が頑張れば五年後でもいいかもしれねえ。そのときにゃあんたの寝首をかきに、寝込みを襲ってやればいいわけだ。そんときを楽しみにしてろ、グイン。俺はまだ諦めたわけでもなきゃ、お前の傘下に入るわけでもねえ。お前に私淑するわけでもなければ、お前に征服されたわけでもねえんだ。俺はゴーラ王として、ゴーラと、そして三万弱の部下どものために行動しなくちゃならねえと思ってるだけさ」

「たいそう立派な国王であり、司令官だと思うぞ、その考えは」

グインはいった。

「よかろう。では俺はヴァレリウスとリンダと、そしてケイロニア軍と神聖パロ軍の幹部に会ってそのことを告げていいようにはからってくる。お前は——俺がナリスどのに親書を書くので、それを持って、自軍の陣営に戻り、自軍の幹部たちにことの展開を納得させてやってくれるか。それとも、それも俺から働きかけたほうがいいというのなら——」

「いいよ」

あっさりとイシュトヴァーンは云った。

「やつらはむしろ、もう戦わなくてすむ——あんたとな——ときいたらほっとするだろうさ。講和が成って、これからは俺たちはケイロニア軍と共闘してレムス軍と戦うんだといってやればいいんだろう。それはやつらにしてみても、本当はそのほうがずっと、当然だと思ってたことだろうしな。ただし——だがまだ、ナリスさまは返さねえ。そう簡単に返すわけにはゆかねえぜ。それなりにこっちの納得のゆくような話し合いにならねえと、返してはやれねえよ」

「わかってる。それについてはまたちゃんと、それなりの態勢をとって、申し入れをするさ」

「まあ、あの人をずっとレムス軍とのたたかいに従軍させるわけにはゆかねえだろうから……マルガには返さねえで、どこか適当なところで静養させるってことになるんだろうけどな……」

「このあたりからなら、サラミスだろうな。ヴァレリウスがあのように案じているのは、ナリスどののおからだがかなり弱っているのではないか、ということだ。俺もそれはかなり気になっている。ナリスどののようすはどうだ」

「さあ、それほど、目立ってよくなったようにも見えないかわり、何か悪くなる理由があるようにも思えなかったけどな」

イシュトヴァーンはうそぶいた。

「大体、あの人はからだが動かなくたって、俺をへこませることだって、陰謀だって——なんだって出来るんだぜ。大概の健康な人間よりか、ずっと悪知恵だって働くんだからな。そうだろう」

「まあな」

「なあ、グイン」

「ああ」

「あんた、ずっと王様なり将軍なり……それもケイロニアみたいな大国のさ、やってきて、イヤになんねえのか。もう、たくさんだ。何もかもぶち捨てて逃亡してえって気に、なることはないのか」

「とりあえず、あまりそう考えたことはないようだ」

「ふーん……」

イシュトヴァーンはうさんくさそうにグインをじろじろ、上から下まで見た。

「じゃあ、あんたは、もともとそいつにむいてるのか……それとも、なんというか、ああいうちゃんとした国で王様してんのは、ゴーラみてえなとこでなんでもかんでも引き受けてバタバタしてるのとはずいぶん違う、ってことなのかな。俺はもう、これまでに何回でも、ほとほとウンザリだ、もうこりごりだ、逃げ出してひとりでしたいほうだいして暮らしたほうがどんなにいいか知れねえって思ったぜ」

「そのほうがお前には幸せだったかもしれんとは思うがな」

グインは認めた。

「だが、まあ、もうそうするわけにもゆかぬだろう。ともかく、ものごとは動き出してしまったのだ。いまから車を降りるわけにはゆかない、わだちはもうまわっているのだ、と古いことわざにあるようにな。——ヴァレリウスを安心させるために、近々に、どうやって返してもらうかは別として、一度、ナリスどのと、俺を直接会わせてもらうわけにはゆかぬか」

「え」

「ヴァレリウスとリンダを納得させておくためにだ。——お前にせよナリスどのを解放して、それで神聖パロに対してすべて決着がついたと思うほど幼く、というか事態を甘くみてもいないだろう。神聖パロは非常に壊滅的な打撃をうけ、ゴーラ軍とイシュトヴアーン王に対しての感情は極端に悪い。いまにわかに、ヤンダルの呪縛がとけたのだから、すべて水に流して共闘しよう、といわれたところでそれをうべなうわけにはゆかぬ。少なくとも、特にヴァレリウスやリンダの感情としてはそうだろう。俺は、かれらを納得させる手順を踏みたいのだ。そうせぬわけにはゆかぬのでな。そのためには——ナリスどのと直接、俺が話してみるのが一番いいだろうと思うのだが」

「まあ……べつだん、こうなってから、それをいけねえというのもなになんだが……」

なんとなくひどくうさんくさそうにイシュトヴァーンはじろじろとグインを見つめた。

「いまになって気が付いたよ。……あんたって、決して陰謀をたくらまねえ方じゃあねえんだなってことにな。……みんな見かけにだまされてるんだ。もしかしたら、ナリスさまよりか、あんたのほうがもっと腹黒いのかもしれねえな。グイン」

3

じっさい——

イシュトヴァーンのいうとおりであったのかもしれないが、少なくとも、グインは、そういわれて腹をたてるようすでもなかった。

天幕から、ゆっくりと出てきたとき、グインのおもてはまったくいつもと何ひとつかわったところもなく、相変わらず悠揚迫らざるようすにしか見えなかった。

「ゴーラ王イシュトヴァーン陛下を五十人の護衛をつけて、ゴーラ軍の本陣までお送りせよ。白旗を掲げた旗係を先頭にたて、伝令を数人おつけして陛下のお役にたつように命じておいてくれ」

グインはガウスに命じた。そして、はらはらどきどきしながら待っていたゼノンと、ディモスのほうに落ち着いてやってきた。

「陛下！」

ゼノンは、騒ぎ立てては怒られる、と骨身にしみていたので、必死にこらえていたが、その青い目はあまりの好奇心にいまにもとびだしそうになっていたのだった。

「陛下、いったい――イシュトヴァーンどのとの話し合いは、どのように……」

「戦ですか」

ディモスも叫んだ。

「それとも、和に？　あのゴーラ王が、和平に応ずるとは、考えもつきませんが……」

「まあ、それについては、ほかの皆さんをも集めて、ということだな」

グインは云った。それから、ほかのものを司令本部の天幕に移動するよう命じておいて、ヴァレリウスをよぶよう命じた。ヴァレリウスはいきなり空中にあらわれた――それほど、こちらもこちらで切迫していたのだ。

「グイン陛下！　ナリスさまのことは、どのように……」

「心話で様子はうかがっていなかったのか」

グインがからかうようにいう。ヴァレリウスは口をとがらせた。

「そうしたいのはどれほど山々だったことか――でも、陛下に、腹の小さいやつ、卑怯なやつ、信義にかけるやつと思われる危険はおかすことができませんでしたので。……あのくそったれの悪党、殺人鬼の流血狂は、ナリスさまをお返しする、と……？　それとも――」

「ヴァレリウスどの」

グインはヴァレリウスを、内緒話をするよう手招いた。

「は……？」

「もそっと、近くに頼む」

「これで……よろしゅうございますか……」

「ああ。――ヴァレリウスどの、ゴーラ王妃にしてモンゴール大公たる、アムネリス妃のことだが」

「はい」

「その生害と、それとひきかえにゴーラの世継の男児が出生したことを、俺は、いま、故意にイシュトヴァーンに告げなかった」

「いいですよ、あんなやつ」

ヴァレリウスはまだむかっ腹がおさまっていないとみえる。

「あんな人非人に親切にしてやることなどない、情報を提供してやることなどないんです。イシュタールまでほうほうのていで逃げ帰ってから、知って、腰を抜かせばいいんです」

「おやおや」

「いや、冗談ごっちゃないですよ。これはやつにとってはかなり深刻な脅威になりかねないはずです。これまで、ずっと奴の圧政と暴虐に苦しめられてきたモンゴール地方の、旧モンゴールの残党はもってゆきようしだいでは、さいごのくびきをも希望をも失っていっせいに蜂起するでしょうし、またなんといってもイシュトヴァーンはじっさいにはただの成り上がり、その権力の根本はモンゴール大公の夫である、というところからきていたんですからね。それを失ってしまえば、場合によっては、クム大公家や旧ユラニア大公家の残党などがいれば、それを申し立てて奴のゴーラ王たるの資格をといただしてゆくことだって可能なんですよ」

「まあ、現在のところは、クムはまだしも、ユラニア大公家は生き残りはおらんゆえ、そういう心配はないようだがな。――いや、そういわれてしまうとどうも少々、話がしづらいのだが」

「と云われますと」

「カメロン宰相のほうは、当然のことながら、イシュトヴァーンにこの事件を知らせたくて、国表から使者をたてているのだろうな」

「さあ、どうでしょうね。――いや、はいはい、わかりましたよ。ちょっとお待ち下さい……ああ、はい、わかりました。はい、使者は一応イシュタールを出ております。まだ、いま現在、レムス領の突端にもさしかからない、ようやく自由国境あたりを通り過ぎつつあるような段階で、まだ、このあとどうやってレムス領を突破するのか、運よく突破できたとしてもそのあとうまくイシュトヴァーン軍とゆきあえるかどうか……まあ、十中八、九の割合で、無駄足になってしまう可能性のほうが大きいですけれどねえ」

「その、使者は当然カメロン宰相からの親書をたずさえているはずだ。それを——どうにかして、きょうあすのうちにイシュトヴァーンの手に入るようにしてやりたいのだ」

「なんですと」

ヴァレリウスはまた、うんと眉をしかめて、グインを見つめた。

「また、陛下は何をたくらんでおいでになるんです」

「人聞きの悪いことを。たくらんでなどおらぬさ。ただ、愛する王妃の非業の死と、そして世継の王子の誕生、という非常に大きな出来事とあっては、一刻も早く本当はイシュトヴァーンに知らせてやるべきだろう、と思っているだけだ」

「は、はーん」

ヴァレリウスはあやしそうにじろじろとグインを見つめた。

「それを知らせるとやつは……どうなんでしょうね、おのれが危機にたつことはわかりますから、いっそう早くイシュタールに帰らねばならなくなる、でしょうね？」

「ああ」

「それで、多少は、ナリスさまについてのあの馬鹿強情な意地っ張りも引っ込むでしょうか？」

「かなりの確率で、それどころではないということになると思うが。それに、俺としては、どちらにせよ、彼がイシュタールに戻るためにはレムス領を突破しなくてはならぬわけで——レムス軍のほうもそろそろと、受けてたつ態勢を用意しつつあるようだ。レムス軍はすでに、ナリスどのを引き渡せとイシュトヴァーンに要求してきているようだから、それをイシュトヴァーンがつっぱねるとすれば、逆に、ゴーラ軍は、レムス軍から神聖パロの国王を守っている、ということになるな」

「あのやつの頭のなかには、何があるのか知れたもんじゃありませんからね」

イヤな顔をしてヴァレリウスはいった。

「こういうのを、相性が悪いというんでしょうか？　私はどうも、あのゴーラ国王どの、というべきか、あの殺人鬼を味方にするくらい、危険なことはないような気がするんですけれどもね。これまでの所業をみても。——でも、陛下が、どう思っておられるのかは、だいたいわかりますよ」

「さようか」

「陛下は、イシュトヴァーンを殺したり、ゴーラ軍を壊滅させるというお気持はまったく持っておられないんでしょう」

ヴァレリウスはにがにがしげにいった。

「私にしてみれば、まったく——このさい、あれだけの非道な虐殺をマルガ市民に対しておこなったことといい……ナリスさまのことといい、万死に値する、としか考えられないのですが、グイン陛下のごようすをみていて、これは、イシュトヴァーンに対しては、まったく違うお気持をお持ちなんだなと……それは私にとっては非常に無念なことですが、現在の神聖パロ軍が、単独でゴーラ軍に立ち向かっていればおそらく、全滅させられていたか――サラミス軍が投入されたとしてもやはりむざんな敗北のうきめをみていたであろうことは間違いないので――何も申し上げようはありません。われわれは、ケイロニア軍のご助力なしには、いま現在、何もできない状態なんです。われわれのただおひとりのアル・ジェニウスを救出することでさえ」

「ナリスどのはほどなく救出されようさ。それは俺が請け合う。俺は近々に、ナリスどのと会わせてくれとイシュトヴァーンに申し入れるつもりだ」

「何ですって」

ヴァレリウスは鋭く云った。

「陛下が、ナリスさまと」

「ああ、とりあえず、イシュトヴァーンはナリスどのをなかなか釈放するとはいってくれぬが、会うくらいならばかまわぬだろう、ということで話はつけられると思う。なんなら俺が単身、ゴーラ軍のなかにおもむいてもいい」

「なん……」

「まあ、俺がかわって人質になろう、というようなことは、ナリスどのにせよ、イシュトヴァーンにせよがえんじないだろうが、しかしともかく、早急にナリスどのと面会させてくれるよう、イシュトヴァーンにはさきほど頼んだし、あちらも、会わせるくらいならばそれには異存はない、ようだった。――俺も、ナリスどののご健康の状態が一番心配でな」

「会わせるくらいならば異存はない……ですと！」

ヴァレリウスは飛び上がった。

「なら――なら、私も……私も、お連れ下さって、そして……」

「それは駄目だ、ヴァレリウス」

グインはぴしりといった。

「これは申し訳ないがケイロニアとゴーラとの話し合いの段階だ。神聖パロはあまりにこの一件については利害が密接にからみすぎている。失礼ながら、おぬしにしてもリンダにしても、とかく、ナリスどののこと、イシュトヴァーンのこととなると感情的になりすぎて、日頃の怜悧さ聡明さ冷静さを欠き、とかく判断をあやまるふしがあるように俺には見受けられる。――ことに、ナリスどののお身柄のことは、俺に一任してくれ、とできれば頼みたいところだ。イシュトヴァーンを無益に刺激して、いっそう意地にさせれば、その分、ナリスどのが苦しむのが長引くだけの話だ」

「……」

ヴァレリウスは蒼白になってくちびるをかみしめた。

「いまとなっては、もう、魔道師軍団によって、魔道で強引に救出したところで、どこからも文句の出るおそれはないんです」

荒々しく、ヴァレリウスはつぶやくようにいった。

「私が、こうしていたって、どれほど——どれほど胸の破れるような思いでいるか——ナリスさまのおからだのことを思うたびに、どれほど、はらわたのちぎれるような苦しみを感じているか……あんな殺人鬼に何がわかるんです。ナリスさまは普通のおからだじゃない、そうでなくても、いくたびも生死の境を越えてこられた状態で、普通の人質と同一に扱われたら……あんな、乱暴なやつに、こんな設備もなにもない草原に連れてこられて……何から何まで——いったい、ここで受けたいたでがまたどのくらいあとに尾をひかねばならないか、どのくらいまた体力を失わされてしまわれるか……私は、それを思うと、いてもたってても……」

「おぬしが案ずる気持はわかる。確かに、普通のおからだではないのは本当だし、それに、普通の人間にであっても、このように強引に拉致され——その以前の、マルガ侵略の心労も心身の苦痛も著しいものがおありだろうしな。だが、ナリスどのとても帝王の家柄に生まれたおかただし、初代神聖パロ国王を名乗るほどにも心強いおかただ。おぬしとリンダをこのたびの交渉に出したくないのは、おぬしらが出てくると、逆上してまとまる話もまとまらなくなり——そうなれば、いっそう、ナリスどのが苦しまれるだろうと考えるからだよ。それに」

「………」

「魔道師軍団を使って強引にナリスどのを救出するのは簡単でも、そうすれば、そのあとのゴーラ軍とのかけひきは完全についえ、事態はまた完全に逆戻りすることになる。俺が恐れているのはそのことだ。あえていうが——俺の思うには、いまもはや、やれゴーラを成敗するの、処罰するのと……対ゴーラに時間をとられ、神聖パロとケイロニアの連合軍がこのようなところで足止めされて時間をむなしく費消しているようなゆとりはまったくないはずだぞ」

「グイン陛下——」

「それが、だから、おぬしやリンダは、あれほど聡明であるにもかかわらず、ナリスどののお身の上がからむと逆上して理性を失うといった理由だ。——ヤンダルはいつなんどき、キタイの反乱を鎮圧して、またこちらに戻ってきてパロ内乱にほこさきをむけるかわからぬ。そうなれば——そうなってからではもう遅い、俺もひくにひけぬ、そしてゴーラ軍も——神聖パロ軍も。なんとか、クリスタルをとりかえし、いったんともかくもパロに平和を取り戻すには、時はいま、ただいましかないのだぞ」

「陛下………」

「特にだ」

グインは激しくその黄金色の瞳をくるめかせた。

「ナリスどののお身の安全を考えるのならば——なぜわからぬ、ヴァレリウス。ヤンダルが戻ってくれば——ナリスどの個人のお身柄を、何がなんでも欲しい、と考えているのは、ヤンダル・ゾッグであって、レムスではない、ましてやイシュトヴァーンでもないのだぞ！　ヤンダルが戻ってきたときが、ナリスどののお身がもっとも危険になるときだ。それまでに、われわれは、充分に神聖パロに力をつけ、ヤンダルがキタイより戻っても、ナリスどのに危険の及ばぬだけの体制を作り上げておかぬことにはどうにもなるまい。俺は、ここでこうしていることさえ、まだるこしい、時がうつる、時がうつればうつるほどナリスどのがあやうくなる、そのように考えているのだぞ！　それが、わからぬか、ヴァレリウス？」

「あ……」

ヴァレリウスは蒼白になった。

「イシュトヴァーンがマルガに対してしたこと、それはヤンダルに操られていもすれば、また当人のさまざまな誤解や思い込みや妄執や——いろいろな要因によるものだったろう。それによってマルガは手ひどい打撃をこうむった、それに対するおぬしらの憤怒、嗔恚、慟哭のほどはよくわかる。だが、それをいっている場合ではないぞ！　もしもあのままヤンダルに操られてイシュトヴァーンが行動していれば、ナリスどのはレムス軍に引き渡され、そしてもはや——中原には二度と平和は訪れなかっただろう。古代機械をあやつり、いつなんどき、どこへでも出没できる軍隊、あるいは暗殺者、などを相手にして、もはやどのような平和も秩序も守り通せようはずもない。いましかないのだぞ、ヴァレリウス、ヤンダルがキタイを離れられないのはいつまでかわからん——グラチウスがどう動いているのかもわからぬ。我々にできることは、いまこそレムス・パロをうち、神聖パロがクリスタルを奪還し、クリスタルの人々を解放し——そして古代機械をその主のもとにかえし、パロをパロ自身の支配にとりかえすことでしかないのだぞ。ヴァレリウス！」

「は——はい……」

ヴァレリウスは激しく身をふるわせた。そのままうなだれてくちびるをかみしめた。

「わかり——わかりました……確かに、私の……考えが足りず……」

「考えが足りぬわけではない。おぬしの心持は無理からぬ。だから、最前からいっている。おぬしとリンダは、ナリスどののこととなると逆上してことの道理を見失う。それも無理もないことだが、それゆえ、どれほど辛くとも、ナリスどのについては、俺に一任してくれたがいいとな。——おぬしたちは、ナリスどのを愛しすぎるよ。誘拐だの、人質だのというものについては、つねに、それをもっとも愛している家族や血縁が、もっとも狼狽し、逆上してしまうので、逆に人質にとってこそもっとも危険になってしまうものと相場はきまっている」

「はい——は……はい、わかりました……」

「俺にまかせてくれるか。ナリスどののことは」

「は——はい……」

「リンダにも、同じように伝えてくれるな。むろん、俺から伝えてもよいが」

「はい……はい——」

「おぬしの目からみて、どれほど、俺がイシュトヴァーンにあまりにも甘かったり、またそれではマルガでむざんにもいのちをおとした重臣、武将、市民たちに対して申し訳がたたぬ、と思ったとしても、いまは、中原全体の平和と、パロの独立をとりもどすこと、ひいてはナリスどのの安全のためにも、こらえてくれることだ。——そののちに、中原がキタイの脅威から解放されてからのちなら、神聖パロが、マルガのうらみをゴーラに対してはらしたいと思ったところで俺は止めぬ」

「……」

「俺のいうことを、わかってくれたか、ヴァレリウス」

「——はい……」

血を吐くように、ヴァレリウスは答えた。

そして、激しい苦痛を耐えているように、両手できつくおのれの腕を抱きしめ、つかみしめた。

「ただ、どうか……ナリスさまが——あまり、長期間こうして、あまりにご不自由な戦場になどおありになっては……きっと、いまのおからだには、あまりに無理がかさなりすぎ……主治医のモース医師はかたわらにあるとはいうものの、まともな寝台ひとつないような……馬車の振動はあのおからだにはひどくよくないのです……心話でご連絡をとっても、大丈夫だと強がってはおられますが、ご容体のわるいときには、寝台の枕元をそっと侍女が歩いてさえ、ひどく痛がったり、辛がったりしておられました。……そうでなくても、このところ、クリスタルを脱出してジェニュアへ、ジェニュアからダーナムへ、マルガへと……無理の上にも無理をかさねておいでです。ご健康なときだったとしてさえ、あのかたのかよわいおからだにはずいぶんとさわったはずです。だのに、いまはあのようなおからだで——私を、いくじのないやつ、しょうもないやつとお思いにならないで下さい。……あのかたが以前のようなおからだでさえあれば、私は……私とてももうちょっとは心強くも、理性的にもなれもしましょう。でもあのかたは……あのかたは、もう前のようなおからだではないので……」

「それも、わかっている。ヴァレリウス」

グインは深くうなづいた。

「俺が、この一件の解決を焦っているのはひとつにはそれもある、ということも信じてもらいたい。俺もまた、この拘束が長引くと、ナリスどのご自身にとって非常ないたでだろう、ということはつとに感じているのだ。だからこそ、おぬしたちにその両面から——中原のため、パロのため、クリスタルの解放のため、そしてナリスどのご自身のため、すべてにわたって、最良の結果になるために、いっときの感情は捨ててほしいのだよ」

「はい……」

ヴァレリウスは身を小さくふるわせた。

「あまりにも心弱いやつ、ともにことにあたるに足らぬしょうもないやつとお考えになられても仕方ございませんが……私は、もし万一にもあのかたが……もしものことがあった場合には、すべてをなげうって、その場で黄泉へお供しようと、それだけをずっと考え、念じて——それがこのところ、もうずっと……最初は私自身の愚かな失敗で私がクリスタルに虜囚のうきめを見、それからようやく脱出しても、こんどはいろいろと……ノスフェラスだの、なんだかんだと——そうして、こんどは、ようやくナリスさまをお守りしてマルガへ落ち着きかけたやさきに、このようなマルガ侵略にあって……それも、私がサラミスにグインどのをおたずねしている、まるでそのすきをつかれたかのように——私は、自責のあまり、いっそおかしくなってしまいそうなんです。……ばかなやつだと思われてもいたしかたありませんが……もっとああも出来たはずだ、判断間違いをせねば、このようなことにはならなかった、あのとき私がかたわらにいて差し上げさえすれば、もっとものごとは全然違っていた、そのはずだ――そうとばかり考えてしまうと、あまりにも苦しくて、からだがそのまま破裂してはりさけてしまいそうで……」

「気の毒にな」

グインはつぶやいた。

「おぬしは、魔道師としては、ずいぶんと――ひとがましい部分を残しているというべきか、それとも、失礼ながら心がやわすぎるというべきか。……非情と論理に生きる魔道師がそのように情に溺れていては、あまりにも魔道師として大変だろう。それが、人間としては、おぬしのいいところなのだろうが、とは俺は思うがな」

「ナリスさまのことでさえなければ……」

ヴァレリウスは、恥じ入るように、消え入りそうな声でつぶやいた。

「見苦しいやつ、しょうもないやつと思われても仕方ありませんが――ナリスさまのことでさえなければ、私とてももうちょっとは……まともに判断もできれば、心強くもなれるのですが。……ナリスさまについては……そもそもあのようなおからだになられたことそのものが――私の失敗もかかわっていたのだ、と考えることで、私の頭は呪縛されてしまっているのかもしれません。あのときランズベールの塔で、私が目をはなしたばかりに、ナリスさまはあのカル・ファンのくそ坊主に拉致されて、そして拷問をうけてあのようになられてしまったのですから……もう、いったところでせんもないことですが……」

「そのように言い出したら、それはもうヤーンをうらんだり、ゾルードの力をたのんだりして、うつつのできごとを受け入れなくなってしまうほかはないさ。まあいい、ともかくも、これについては、俺にまかせてくれることだ。イシュトヴァーンという男は、はたで見ているほど滅茶苦茶な奴ではない。いや、確かに相当にめちゃくちゃなところもあれば、破綻したところもあり、またふてぶてしくも開き直ってもいる奴だがな。ただひとつ、確かなのは、奴はまだ、野望を抱いてもいれば、夢をもってもいる。――つまりは、人間としてまだ終わっていない。だから、それに俺はつけこむことができると思うのだ。何よりもまず、ヤンダルがあのように奴を動かすことに成功したというのは、イシュトヴァーンの気持のなかに、明らかに、他の誰に対するよりも強い、ナリスどのへの憧れだの、妄執だの、崇拝だのがひそんでいた、それに乗じたゆえだからな。――つまりは、イシュトヴァーンもまことにはナリスどのに危害を加えたいとは一回も思っていない、とさきほど云っただろう。そのところをついてゆけば、案外に簡単にナリスどのを返してくれるさ。そして、また、俺には――俺も遠征先のことでもあれば、またケイロニア王として、母国を全面戦争にまきこむことは非常にいやなのだ。というより、それはできぬ。それゆえ、俺は、ここでクリスタルを神聖パロに奪還するためにも、ゴーラ軍の力を必要だ、借りたいと思っている。そのことも、おぬしに解って欲しいのだな、ヴァレリウス。恩讐をこえて」

4

そうして――

地には、つかのまの平和が取り戻された、かのようであった。

むろん、まだ、あちこちにいくさで命をおとした死体は収容されることもなく放置され、また、負傷者も、まともな設備もないままに、ともどもいったんの休戦にともなってそれぞれの陣営にひきとられ、出来うるかぎりの手当は受けてはいたものの、そのうめき声や、また力つきて息を引き取るものをいたむ泣き声などが、ことにゴーラ軍の陣営にはひっきりなしに起こっていた。とうてい、それは、平和――とはいいようもない光景ではあったが。

それでも、兵士たちは、とりあえず、（もう、恐しいケイロニア軍と戦わなくてもすむのだ……）という見通しに、ほっと胸をなでおろしたようであった。すでに、かれらは、これまでの戦さのあいだだけで充分すぎるほどに、ケイロニア軍の手強さ、歯のたたなさを感じ取っていた。なまじ若い兵士が多いだけに、圧倒的な相手の力量を感じたときに、それに立ち向かってゆくだけの経験の積み重ねを決定的に欠いている。ことに、ゴーラ軍が欠いていたのは、「敗戦」の経験であっただろう。これまでは、イシュトヴァーンのもと、ひとたびも、おくれをとることもないゆえに、勇猛でもあれば、命知らずでもあれたのだ。

食料さえも不足しているような遠征のことである。医薬品も、医師も、当然ほとんどない。かろうじて傷を洗い、薬をぬってやりたいにも、水もなく、消毒薬も思うにまかせない。そして、被害のほうは圧倒的にゴーラ軍に甚大なのである。

イシュトヴァーンが陣営に戻って調査させたところでは、ゴーラ軍の受けた被害は、まさにグインのいうとおり――イシュトヴァーンが思っていたほど酷くはなく、三万の軍勢が、大体それでも一割くらいが戦場にたおれていた。死者は三千くらいですんだわけである。そのかわり負傷者はかなり多かった。負傷者も同じくらいいただろう。

だが、直接に戦闘にあたらなかった部隊も半分以上あるので、それを考えると、直接にケイロニア軍とあたったヤン・インの部隊などの受けた損傷は非常なものだといってよかった。グイン軍は、その意味では徹底的にやることはやったのである。そしてさっと引き揚げて、他の部隊にはまったく手も出さなかったのだ。

とりあえず、イシュトヴァーンが、被害の大きい部隊を、無傷の部隊のものに介抱させるよう、だんどりをつけている最中に、「ケイロニア王からのお使者が参っております」と小姓が告げにきた。

イシュトヴァーンが受けてみると、それは驚いたことに、グインとヴァレリウス宰相の連名による、ゴーラ軍への、医療品、飲料水、そして食料品の差し入れの申し入れであった。その使者のうしろから、ほどもなく、何台もの、輸送部隊の荷馬車が到着して、ゴーラ軍に食料と医薬品を提供してくれたのだった。

ゴーラの疲れ切った兵士たちの口からは弱々しい歓声があがった——もう、それに対して、敵にそのようななさけをうけるとは——などと反発する力はかれらには残されていなかった。また、正直のところ、ゴーラ軍の兵士たちが、マルガ以来ずっと、ろくなものを食べていなくて、というよりも、ほとんど飢餓状態で、地上最強のケイロニア軍にたちむかわねばならなかった、というのも本当だったのだ。

イシュトヴァーンはいささかむんずりとしながらも、「ケイロニア王及び神聖パロ宰相のお志、かたじけなく頂戴つかまつる」と返答せざるを得なかった。どちらにせよ、このあたりではもう、食料品の調達はそろそろ不可能になりかけていたこともわかっていたのだ。

「ああ、だからもう、まったく——軍勢なんてやつは、食わせてやることばかし、考えなくちゃあならねえから……」

イシュトヴァーンはげんなりした顔で、マルコにぼやいた。マルコは、イシュトヴァーンがあのとんでもない一騎打ちで、敗れたからには当然連合軍の捕虜になるもの、と予想してひどく心配していたので、なにごともなかったように、というよりも、すべてが無事決着したことを告げるかのように、白旗をたてたケイロニアの《竜の歯部隊》の精鋭に守られてイシュトヴァーンがけっこう元気よく自軍の本陣に到着したときには相当驚いた。だが、むろん、彼が無事であるにこしたことはなかった。

「でも、このお差し入れは……まさしく干天の慈雨というもので。もう、とにかくこの手前のあたりまでの農家では、すべての売れる収穫は買い上げてしまいましたし、これ以上出せとおどすと、こんどは種もみだの、彼ら自身の食料までも取り上げねばならないような状況になっておりましたから……」

「三万だろう、無理もねえや」

イシュトヴァーンはげんなりしながら、

「とにかく、一回、かろうじて三万人分の食料を確保してやれやれと思ったとたんに、もうやれ今夜の食い物だ、明日のはどうだってことになるんだからな！——まったくもう、こうなると、まるでもう食わせるために連れて歩いてるようなもんだぜ」

「頂戴した食料の半分は、そのまま食べられる状態でしたので、それはもう分配してよろしいでしょうか」

「ああ、食わせてやれ。それと、怪我人には薬とな」

「有難いことで」

マルコは、この展開にたまげてもいたし、この先いったいどういうことになるのかとあまりにも好奇心がつのりにつのって、いっそからだじゅう破裂してしまいそうなくらいだったが、ともかくもイシュトヴァーンの命令をはたすために、伝令と、そして隊長たちに命令を下そうとかけていった。

それを見送って、イシュトヴァーンはぐったりしたようすで本陣を出た。はっと、親衛隊の兵士たちが、不安そうなまなざしを投げてよこす。かれらは、イシュトヴァーンが動きさえすれば、きっとまた何かがはじまるのだと、恐れているのだ。

それに、また、イシュトヴァーンは陣地に戻ってきてからもまだ何もいっていなかったので、このさき自分たちがどうなるのか、これは一時的な休戦でもっと戦わねばならぬことになるのか、それとも、とりあえず一騎打ちに敗れたイシュトヴァーンが、敗戦を認めて、とりあえずこのいくさは終結したのか、というようなことも何もわからないのだ。兵士たちはまだ、おびえたような目をイシュトヴァーンにそそぎながら、じっとなりゆきを息をころしてうかがっているようすだった。

だが、イシュトヴァーンはそれにはかまいつけなかった。実際問題として、どのようにグインとのやりとりを隊長たちに伝達するのが一番いいのか、まだ頭の整理がついていなかったのだ。彼は大股に陣営のなかを抜けてゆき、親衛隊がびっしりとまわりをかためている一画へと近づいていった。

そこには、ナリスが、連れてくることをゆるされた少数の護衛たちともども、ずっとまだ馬車のなかで、そこにとどまっているのである。イシュトヴァーンが近づいてゆくと、旗本隊の精鋭たちが、さっと右手をあげて国王への礼をする。かれらは少なくとも、これからどうなろうともイシュトヴァーンとあくまでも生死をともにするだけだ、ということにまったく疑いはもっていないようだ。

それへかるくうなづきかけて、イシュトヴァーンは、ナリスの馬車に近づいていった。馬車のかたわらについていた、侍女のかっこうをしたリギアが、するどい目をイシュトヴァーンに向けた。そのかたわらにはヨナがいて、これはたずねるような、さぐるような目をむけてくる。

イシュトヴァーンはそのすべてをはねかえすように強く言った。

「ナリスさまにお目にかかる。そこをどけ」

「いま、ちょっと、モースどのが診察しておいでになりますが……」

ヨナがためらいがちにいったが、そのまま馬車の小さなのぞき窓をあけて中に声をかけ、イシュトヴァーンのおとずれを告げた。

中からいらえがあって、少しして、医師であることがひと目でわかる黒い長いゆったりした胴衣と帽子をつけた老人が馬車からおりてくる。丁寧にイシュトヴァーンに会釈して、馬車のうしろのほうに引き下がるのを待ちもせずに、イシュトヴァーンはすぐにずかずかと馬車の扉をあけ、中に乗り込んだ。

「ああ、イシュトヴァーン」

普通の馬車より、想像もつかぬほど大きく、ゆったりと作られている四輪馬車である。その奥の寝台に、ひっそりとよこたわって、上体をいくぶんおこしていたナリスは、首だけむけてそちらを見た。寝台のかたわらに、カイともうひとりのうら若い小姓がよりそっている。

「おや」

イシュトヴァーンが何かいうひまもなかった。ナリスが、ちょっと目を細めて微笑した。

「なんだか、ようすがかわったね。——何かあったのだね。グインに会ったの？」

「何……」

一瞬、またしてもイシュトヴァーンは先手をとられた気分になったが、気を取り直して、肩をすくめた。

「知りたいのならいうけど、俺はグインと一騎打ちをして、負けた。いくさは終わりだ」

「それはそれは」

「だからって、まだ、ナリスさまを釈放してさしあげるわけにはゆかねえ、と云いにきたんだ」

「イシュト！」

うしろから、心配して、続いて馬車に乗り込もうと画策していたヨナが、声をあげた。

「なんだ、きさま、これ以上馬車のなかに詰め込んだらぎゅうぎゅうになっちまうぞ」

イシュトヴァーンはけわしくふりむいて怒鳴る。

「お前は外で待ってろ。ちびのトルクめ」

「セラン。外に出て、ヨナさまとかわって」

すばやく、カイがいった。反対側の戸をあけて、いそいで若い小姓が降りてゆく。ヨナは急いでそちら側にまわり、ナリスのかたわらに乗り込んできた。

「まったく、ひっつき虫みたいに、べたべた、ひっつきやがって。——きっとナリスさまだって、たまにはおひとりになりたいと思ってられるんだぞ」

イシュトヴァーンはにくらしげに云った。ナリスは苦笑した。

「大丈夫だよ、イシュトヴァーン。私は生まれてこのかた、ひとりきりでいたことなどほとんどないような気さえするほどだからね。それにいまとなっては一人では何もできない。——そうなっても、私を釈放することはできない、というの？」

「ああ」

イシュトヴァーンはずるそうにナリスを見た。ナリスの黒い目が、じっと、奇妙な微笑をたたえてイシュトヴァーンを見つめている。イシュトヴァーンはだが、その目をよけもせずに、真正面から受け止めた。

「グインは、なんといっていた？」

「それについては、とにかくこちらの言い分をきいて話し合いをしてくれるそうだ。だが、その前に――グインは、ナリスさまとさしで会いたい、といってる」

「……」

おだやかに、ナリスは目をそらした。いくぶんその青白い頬に珍しい赤みがさした。

「それはまた」

「あんただって、やつに会いたいんだろう。あんたはずっとやつに会いたがっていた。それは知ってるんだ。俺は」

「そう……ね」

ナリスはかすかに、妙に寂しげに微笑む。

「それは、そのとおりだ……私はずっと彼に会いたい、グインに直接この目でまみえたい、と思ってきた。遅すぎないうちにね」

「それは、どういう意味なんだ？」

「私のこのあわれなおぼつかないいのちの灯が消えないうちに、という意味でもあるし、また、もっと違う意味でもあるよ」

「あんたのいうことは……相変わらず、よくわからねえ」

イシュトヴァーンは、くちびるをかんだ。

「だけど俺は——俺は、そのことは、ナリスさまにも話してみる、とはいったんだ。——だからって、そのまますぐに、ナリスさまをあっちに返すってわけにはゆかねえ。命綱だから、ってだけじゃなく——俺は、いまや、グインに負けたからには、あんたが文字通りさいごの切り札なんだからな。あんたをこうして人質にとってさえいなけりゃ、もうゴーラ軍は、何ひとつ、ケイロニア‐神聖パロ連合軍に対して武器がないってことになるんだから」

「私の存在は、神聖パロにとってはともかく、ケイロニア軍にとってはべつだん、何の武器にも切り札にもならないとは思うけれどね。グインというのは、私がいろいろとその言動をきいて推測しているかぎりでは、そういう、なんというのかな？　人情とか、情とかにほだされるということが極端に少ない人物のようだよ。非常に、あの豹頭にもかかわらず、論理的にしか行動しない、というべきかな」

「わかんねえけどな」

イシュトヴァーンはいくぶんふくれたように云った。

「ともかく、俺は、でも、あんたの釈放を条件にこれから和平交渉をするんだ。それがうまくゆきゃ、あんたは無事に自分の陣地に帰れる。だけど、グインは……グインはもっと違うことを考えてるみたいなんだけどな」

「違うこと、どんな？」

「それは、グインからきけよ」

イシュトヴァーンはなんとなく、自分が何をどう感じているか、よくわからない、といったようすであった。

多少、面白くないのかもしれないし――いや、一敗地にまみれたことはおおいに面白くないに決まっているのだが、その後の展開では、じっさいには、それで一気にイシュトヴァーンにしてみればことは決着がついているのである。あとは、いかにそれをうまく収拾をつけて収束させてゆくか、だけといってもいい。だが、そのこと自体に多少、面白くない気持があるのは、たぶん、（何もかもが、グインの思い通りに動かされているじゃねえか……）という不満が、イシュトヴァーンのなかにひそかに鬱積しているからでもあっただろう。

（やつは確かにたいしたもんさ。それは認めてやる……だが、ちょっと、たいしたもんすぎて……文句のつけようがねえのが気に入らねえな……俺にだって……たとえどんなちっぽけな虫にだって、それこそ、五分の魂《ブンブンの意地》ってやつはあるんだ）

ことばにするのなら、もっともいまイシュトヴァーンの胸を占めていたのは、そのような思いであったのかもしれない。おのれが、偉大な父親の『胸をかりて』突っかかっていって、あっさりかわされ、手もなくあしらわれて、あらためて父親の偉大さを感じざるを得なかったのだが、それはそれでいまに見ていろという思いがますます煮えたぎっている——というような思い。

「なんだか……」

ナリスはちょっと面白そうに、黒い目をまたたかせてイシュトヴァーンを見た。

「あなたは変わったね。ちょっとのあいだにずいぶんと——あなたはもともとよく変わる人で、私は、あなたに会うたびに、また前とは別のあなたに会ったというような気がするほどだが……このところ、なんだかあなたがひどくすさんでいるようで……それに、なんだか、とても苦しそうで、妙に気になっていたのだが——いまのあなたには、その苦しそうなところが少しもない。……なんだか、いまのあなたを見ていると、あの、マルガにやってきて、私に謀反をしろ、ともにたとうと激しくそそのかした、あのときのあなたとあまり変わらないような気がするよ」

「ああ」

イシュトヴァーンは、ちょっとぎくっとしながら答えた。

「まあ、そうかもしれねえな。……こんなことは……あんまり云いたかねえけど、俺もちょっと、気持が変わったというか——」

「私を、イシュタールに連れていってもしょうがないと？」

「そうじゃねえ」

いくぶん激しく、イシュトヴァーンは否定した。

「そうだったら、あんたはほっとするんだろうけどな——お前らもな。けど、俺にだって意地があるんだからな。そう、簡単に、はいそうですかとナリスさまを渡すわけにはゆかねえよ。それが俺のさいごの意地なんだ」

「………」

ナリスは、イシュトヴァーンをじっと見つめた。

それから、ふいに、首をもたげて、カイたちに云った。

「すまない。カイ、ヨナ、ちょっとはずしていてくれないか。ほんの十分《タルザン》でかまわない」

「ナリスさま……」

それが、あまりにも異例のことばだったので、思わず、ヨナとカイは顔を見合わせた。

だが、かれらはかれらで、ナリスの命令には何があろうとも聞き返すことなく従うべきときがある、ということもわきまえているものたちだった。かれらは、もう一度ちらりと目くばせをしあうと、そのまま、しずかに馬車の外に出て、そっと扉をしめた。

馬車のなかには、ナリスとイシュトヴァーンと、二人だけが残された。イシュトヴァーンもいくぶん驚いてナリスを見つめている。

それへ、ナリスはかるく微笑んだ。

「グインと、話し合いがついたようだね」

ナリスは低い声でいった。

「……」

「要するに、あとはあなたの意地のたてかた、引き方、それをグインにまかせておけば……ということだろう。グインは、それについて話し合うために私と面会したい、といっているのだろう」

「……」

イシュトヴァーンはいくぶん悪びれたニヤニヤ笑いをうかべながら、じっとナリスを見つめていた。

「あなたは、あまりにもたくさんの人を殺しすぎたからね……」

吐息のように、ナリスはつぶやいた。

「それはもう、そういうなりゆきになるしかなかったのだし、やむをえないというしかない——それこそヤーンのお心というしかないが、それにしても……マルガであまりにもたくさんの血が流れた。それがもし、本当に私ひとりを手にいれるためだったというのなら、あまりにも愚かしい、むなしい、としかいいようもないくらいに……」

「俺は後悔なんかしねえんだ」

強情にイシュトヴァーンは言い張った。

「確かに……俺は……ヴァレリウスがそのなんとか……変な、なんとか催眠とかいうものを……されてるといってその術をといてくれて……俺はキタイのなんたらとかいうやつに操られていたというんだが、そんなこと、いまさら通じると思うか。マルガのやつらにも——神聖パロのやつにも、そしててめえの兵士どもにもだよ。あれはそのキタイのヤンダルなんとかいうやつにカイライにされてしたことでした、だからナリスさまはお返ししますから、何もなかったことにしてください、なんてどの面さげて言えると思うか。そのくらいなら、俺は、いまここであなたをイシュタールに連れてって幽閉して、ずっともう、パロにとっての極悪非道の悪人で通したほうがマシなんだ。そうしたら、少なくとも、ゴーラの兵隊どもだって、悪党につきしたがってる、っていういやな思いはするかもしれねえが、そんな、わけのわかんねえ魔道なんかに操られた司令官にひきいられて、間違った戦をした、なんて思わなくてすむからな」

「わかるよ、イシュトヴァーン。それは大変に重大なことだ」

ナリスはかすかに首をうなづかせた。

「そういうことについては、むしろ私のほうがわかる、とさえ云っていいかもしれないね。つねに、世論というものは、お前よりも、私にとって重要な役割をはたしていたからね」

「せろん……ってなんだ」

「皆がどう考えるだろうか、ということだよ。あなたなどは、じっさい、なんと下らないことだ、と思うだろうけれどもね。イシュトヴァーン」

「そう……でもねえ。いまになって、困ってるのは、そのことなんだ」

イシュトヴァーンはおそろしく率直に、かつ単純にいった。

「だから、俺は——あんたを釈放するわけにはゆかねえんだ。そうやって、すみませんでした、心をいれかえますから、許して下さいなんて頭をさげでもしたら、俺の一生はもうおしまいだ。第一誰がそんな王についてくるんだ。——俺はまだ、だったら、悪党としてパロをふみにじってやるほうがマシだってわけだ」

「そうだね。イシュトヴァーン——だから、グインが、その、あなたのおちいってしまった袋小路からたくみに助け出してくれようというわけだね」

ナリスはうすく笑った。

「そう、確かに、彼ならできるかもしれない。——その方法も大体察しはつくような気がするけれどもね。要するに、彼——とヴァレリウスたちのほうが、お願いですから、私を返してください、とそう頭をさげて懇願して……あなたのほうが、それに、そこまでいうのなら返してやる、というかたちになれば、あなたの一分はたつ、というわけなのだろう？」

「………」

「それはヴァレリウスたちにはとても難しいことかもしれないけれども、マルガを奇襲したことも、あれだけのむざんな虐殺をおこなったことも、何もかも水に流して大目にみますから、そのかわりどうか、ナリスを返してください、と……あちらがいってくるかたちになれば、あなたもなんとか部下たちの手前もそこなわずに、邪魔な私を返すことができる、ということだろう？」

「俺は――あんたを邪魔者だなんて思っちゃいねえ」

仏頂面でイシュトヴァーンは云った。

「それどころか……思ってるよ。なんだったらこのままイシュタールにあんたを連れてってもいいいと……」

「イシュトヴァーン、イシュトヴァーン。それこそ、ばかばかしい意地というものだよ。私をそんなところに連れていってどうしようというんだ。そんなに楽しい話し相手でもないし、手のかかることはおびただしいと思うよ」

「何だってかまやしねえよ」

一瞬、もとの威勢のよさを取り戻したように、イシュトヴァーンはゆがんだ微笑をうかべた。

「そんくらいの無茶苦茶は、俺は押し通す気概はあるぜ。無茶苦茶ってのは、理屈じゃなくて、根性でやるもんだからな。……意地ってのも、一生張り通せば、それなりに格好がつくもんなのさ」

「おお、イシュトヴァーン。それはなかなか、大変そうな考えかただね」

ナリスは笑い出した。その声はかすれてはいたが、以前の艶やかさを仄かに取り戻しつつあるようだった。

第二話　激流の如く

1

「俺の生き方が大変かどうかなんて、どうだっていいや」

イシュトヴァーンは肩をそびやかした。

「俺から見りゃ、あんたのほうがずいぶん大変そうに見えるんだ。ひとそれぞれ、てめえの一番したいようにやってるのが一番だってことなんだろうぜ」

「それは、そのとおり、まさしく真理だと思うけれどもね。——まあいい、ともかくも、私は、ずっとグインに会いたいと思って生きていたのだし、それが実現するのなら、どのようなかたちであれとても嬉しいよ。私には、神聖パロの王でありながら、虜囚のはずかしめを受けた身でグインに会うのは——などという体面はまったくない。それをいったら私などはもう、ずっと長いこと、おのれ自身の虜囚にほかならなかったのだからね」

「ナリスさま……」

ためらいがちに、イシュトヴァーンは云った。

「そのう……よけいなことだと思うんだけど、いっぺん……ききたかったんだけども……」

「何なりと」

「その——そのおからだって……もう、もとには……戻らないのかな……何をしても——どう治療しても……それこそ、魔道かなんかで……パロはあれだけ魔道がさかんなんだし……」

「直らないよ、イシュトヴァーン」

ナリスはしずかにいった。

「魔道は万能の魔法ではない。それは、人間のもともと持っているさまざまな能力を増幅したり、補正したりするものにすぎない。魔道でも医学でも、このからだをもとにもどすことはできないよ。切れてしまった腱は二度とつなぐことはできないし、これだけおとろえてしまったからだは——それに、これは半分以上自業自得のようなものでね。もっと早いうちならば、もっと真面目に医師のいうとおりに、苦しいたたかいを続けてからだの機能をもとに戻そうとつとめていれば、もうちょっとだけはなんとかなったのかもしれない。だが、それをつらさにまけておこたったのは私の責任だ。だから、こうなったのは、仕方のないことなんだよ、イシュトヴァーン」

「だけど……だけど、俺は……」

イシュトヴァーンは、奇妙な、自分でもどういっていいのかよくわからぬ感情に突き上げられるままに、つと寝台のかたわらに膝をついて、手をのばし、そっとナリスの布団の上におかれているかぼそい手をすくいあげた。が、手がふれた瞬間、思わず、熱いものでも持ったかのようにはなしてしまった。それから、また、おそるおそるそれをすくいあげる。

「なんだか……あなたをみてると、たまらない気持になるんだ。どうして、あんなに……あんなに何でもできて、なんでもすごかった人が……こんなことにならなくちゃいけなかったんだろうって……マルガで最初に見たときだって、なんだか……どうしていいのかわからないような気持になっちまったし……」

「そうすると、いっそ、壊してしまいたくなる？　その気持もわからないではないけれどね。私自身だって、ときたま、そう思うこともあるよ。もう、このまま一生過ごすのであれば、こんなからだなど、いっそ壊れてしまえばよいとね。——この反乱をおこしたのだって、幾分は、そういう——自暴自棄、というのとも少し違うかもしれないが、もう、どうなってもいい、もう、こんなからだなど、ひきずってただひたすら延々と治療と療養、静養の日々を送っていたところでどうにもなりはしない、ということもあったかもしれない」

「……」

イシュトヴァーンは、くちびるをかんで、そっとナリスの手をもとに戻した。相変わらず、なにかまるで、触るのが恐しいようなしぐさだった。

「これだけは信じてくれ――下さい。俺は……確かにそのヤンダルなんとやらに操られていたのかもしれないけど、マルガに最初にマルコと二人できて――あの湖の小島であなたに会って……いろいろいったことは、ひとつも嘘いつわりはねえ。それはいまだってなんにも変わってないんだ。もしもあなたが、もっと早くに――俺が援軍にきたことに返事をくれてさえいたら、何もかも変わっていて、俺は何も――マルガをあんなふうにしようとは思わなかったと思う。それだけは本当なんだ。――なんで、こんなふうになっちまうのか、俺にも――よくわからねえんだけど……俺のやることが、なんだかいつも――途中から、そんなつもりじゃなかったのに、どうしてこうなってゆくのか……ヤーンに弄ばれてるような気がすることもあるけど……」

「それは、私たちは誰でもがそうなんだよ、イシュトヴァーン」

優しく、ナリスはいった。

「私たちは誰でもヤーンのもてあそびものにすぎないのだと思うよ。……私だって――私こそ、いくたび、おのれがいまなぜこのようなところでこうしているのだろう、これはいったいどのような模様の結末だったのだろうと愕然としたことか。私のほうこそ、そう思うだけの理由はあまりにもたくさんあったのだと思うよ、イシュトヴァーン」

「でも……」

イシュトヴァーンは口ごもった。

「でも──」

「私たちはヤーンに翻弄されるばかりで、どうすることもできないけれど──でも、起こってきたできごとを、よいほうにかえるよう、努力することだけはできるのだと思うよ。──私はもうずっと、そう思ってきたのだけれど。そう思うしかなかったからね」

「でも俺は……俺は、何もかもが、そうやってただヤーンに翻弄されただけの結果だなんて、思いたくない。──俺は、てめえのしてきたことは……おのれの力でかちとってきたことなんだと、そう信じていたいんだ」

イシュトヴァーンの目が一瞬激しく燃え上がった。

「どこからきたのかもわからねえ──どこへゆくのかもわからねえような……ちっぽけな人間だけれども、だけど──だからこそ、俺は──自分の力で少しでもそいつに勝ってやりたい……いつだって俺はそう思ってきた……本当に俺が戦ってきたのは、いつだって、そのときどき戦ってきたあいてじゃなくて、ヤーンそのものだったのかもしれねえ……」

「たぶんね、イシュトヴァーン。だからこそ、ひとはみな、そのあなたにひかれたのだと思うよ。むろん、私も」

「ひかれた——？　あんたが——？」

「そうだよ、イシュトヴァーン。あなたは、そうは思っていなかったの？　私は——もしも、その気になればどのようなかたちでも、あなたから逃げ去ることは可能だったと思うよ。……いくたびもそのようにすすめられたしね。最後の手段としては、この指輪の毒を服用して、この世そのものから逃亡してしまう、ということだってあっただろうし——それに、魔道師たちは、魔道を使えば私ひとりをなら、なんとか助け出すことはできる、とずっとすすめていた。マルガでも、この行軍のなかでもね。……だが、私は、それをずっと拒んでいた。むろん、そうやってほかのものたちを犠牲にすることはできない、ということもあったけれども、それにもまして、私は——それほど、いやではなかったのだと思うよ。こうして、あなたとともにあることが」

「ナリスさま……」

「あなたを見ているのは——私はあなたのように元気で、力強かったことはひとたびもないけれども、いいや、だがそれだからこそ、あなたを見ているのは、いたましかったり楽しかったり心配だったり、はらはらしたり——なかなかにひきつけられることだよ。あなたはいつも、自分の意地でふるまい、思いつきや直感を必死に守り通そうとし——

そして、時としてびっくりするほど簡単にしなやかに考えをかえてしまいもするし——なんだか、野生の美しい猛獣をみているようで、あなたを見ているのは私はとても飽きないのだよ。——だが、いま、私は、自分のしてきたことは結局正しかったのだと思う。そう思うのはまんざらでもない——だって、結局こうしていなかったらもっと私がグインと出会うのは遅れただろうし——それに、私はグインのほうから『ナリスに会いたい』と云って貰うことが出来たのだしね。——そしてまた、そうやって、私は、あなたを——あなた自身の意地のせいで落ち込んでしまった袋小路から助けてあげることもできるし」

「ナリスさま——」

「そう、最初から思っていたよ。私を生きたままとらえたとして——いったいあなたはどうしたいのだろうと。べつだん、私を後宮の獲物として手に入れたいわけでもあるまい。だとしたら、あなたの私へのその奇妙な執着についての論理的な答えはただひとつ、なにものかによってそのように命じられ、あるいは操られて、自分でも納得はゆかぬままそのように動いている——そうではないのか、ということはね。私は、キタイの侵略については、一番よく知っているし、長いことつきあってきたとも思っているからね」

「…………」

「だから、私は——マルガが陥とされたとき、考えていた。いったいこのさき、彼はどうするつもりだろうと。──この人数でマルガを陥落させても、いつまでももちこたえることはできない。周囲から私とマルガをとりかえそうとして攻め寄せてくる軍勢をすべてふせぐには、マルガはあまりにも地の利もわるいし、条件も悪い。それにそのようなことはいつまでも続くものではない──もしも、ゴーラ本国から援軍がきて、それの力をかりてこの地方を征服してしまうというのならともかくね。それに、あなたはゴーラの属国をこのあたりに作るなどというつもりもないだろうし──そうなると、私をどうしても、連れてクリスタルへゆくつもりか、ということになる──これは私にとっても、賭だったよ、イシュトヴァーン。……どこかで、誰かがああなたのそのかけられた術だか暗示だかをといてくれるか──それとも、あなたはもしかしてもうはっきりとキタイ側につくことになってしまって、私はこのままクリスタルからキタイへと拉致されてゆくのを避けられないのか、ということは。──いつでも、本当にもしも最悪の状況にいたればおのれのいのちを絶ってしまえばいいのだ、という覚悟だけは出来ていたから、それほど恐しくはなかったが──それでも、やはり、このように何もできないからだで、私は恐ろしかったよ、イシュトヴァーン。誰かが──たぶんグインが、間に合ってくれるのかどうか、それとも、イシュトヴァーンはどう出ることになるのだろうかとね……」

「………」

「だが、グインは間に合った。そして、あなたのその意地の袋小路など、私にとっては——わけもない、といっては申し訳ないが、むしろ、非常に好意的に受け取れるようなものでしかない。マルガで、私を守るためにいのちを落としてしまった、たくさんの忠誠な国民たち、重臣たち、ランや老ダルカンたちには本当に申し訳がないことだが。だが、それもヤーンのなりゆきだ——もとをただせば、私がグインのケイロニア軍と、あなたのゴーラ軍とを、ひそかにてんびんにかけるような結果になった、あなたがそのことに対して逆上した、というのがそもそもの発端だったのだから。あなたが、キタイ勢力につけこまれることになる、ね」

「………」

「むろん私には私の言い分もあったよ。あのときの情勢ではとにかく、ゴーラ軍を受け入れて、ほかのすべての援軍を失うことはとうてい神聖パロにはできなかったのだ——というのは本当にただの事実だしね。だがそれをいうなら、なぜそれほどに無力な身でこのような反乱をひきおこしたか、というところまでさかのぼらねばならなくなってしまうかもしれない。——そう、すべてはヤーンのはかり、しろしめされるままなのだから……」

「イシュトヴァーン、私からもお願いするよ。——たとえヴァレリウスや、マルガのひとびと、神聖パロの重臣たちがどのように思うにせよ、私はなんとかして、それをときふせることができると思う。——グインどのの考えておられることが、私にはとてもよくわかるような気がするのだ。中原の平和、キタイ勢力を一掃するということの緊急の大義の前に、このようなゆきちがいは、確かに重大な悲劇ではあったけれども、それでもなお、問題ではない——我々はあらためて手を組まなくてはならない。中原を襲っている危機は、イシュトヴァーン・ゴーラのもたらすようななまやさしい、というよりも普通のものではないのだ。その未曾有の危機にさいして、すべての中原列強は勢力を結集し、中原を救わなくてはならぬ。——神聖パロの初代国王としてゴーラ王イシュトヴァーンに、私はあらためてお願いしたい。私を釈放するかしないかなど、どうでもよい。あなたのその軍隊の力を、中原のために貸してはくれまいか——グインどののもそのつもりだと思うよ。だからあなたを追いつめ、本当にうちやぶって叩きのめすことなく、解放したのであるはずだ。その話をきいて私にはすっかりわかったような気がする。グインどのは私と同じ考えだ——クリスタルを、神聖パロ——といわずともいい、本当のパロの手に取り戻すこと——キタイの脅威を完全に中原から追い払うこと。そのために、われわれは結集すべきなんだ。そうではないか？　イシュトヴァーン」

「あんたは……」

イシュトヴァーンはつぶやくようにいった。

「あなたは、やっぱり——やっぱりあなたはナリスさまなんだな。……俺が思ってたのと全然違う……俺が、こういうだろうと思っても、あなたはいつも、俺をびっくりさせるようなことばかりいうし、それに……」

「だがあの運命の、マルガの小島では、あなたこそ、私をひどく驚かせるようなことをたくさんいって、私をこの運命の渦のなかに連れてくる使者になったのだよ。イシュトヴァーン」

むしろ、優しい口調で、ナリスはいった。

「そのはてに、私はいまここにこうしているのだ。——ヴァレリウスがなんといおうと、リンダがどれほど案じようと、そのようなことは、ごくごくささいな、きわめて卑近なことでしかないよ。私のいのちも私のからだも、私の無事も名誉さえもどうでもいい。もっとずっと大切なことがある——中原をキタイの黒魔道の手から守ることだ。あなたが私をイシュタールに連れてゆきたいというのなら——そのために私をうまく利用できるのなら、私というものが、うまくあなたが使う政治的な武器や道具になりうるのなら、あなたはそうすればいい。私は少しもいやじゃないよ、イシュトヴァーン——なんなら、私の身の安全を保証してくれと、リンダあてに手紙を書いて、私のほうからかれらを説得してもいい。私のしたいことは、神聖パロの版図を守ったり、ひろげたり、あるいは、神聖パロというものを成立させたい、ということでさえないんだ。もともと、私はパロ王家の人間だ――いまはよんどころなくこのような内乱のまっただなかに片方の領袖として立ってはいるけれども、このような骨肉相争う悲しい戦いを、したくてはじめたことなど一回もない、そしてそれは、たとえどのように誰にそしられようと、それはパロの王座への未練や欲望や執着からじゃない。そんなものは一片だって、私のなかに残ってはいない。――だから、もしも、私を人質として持っていることで、あなたがそのほうが、神聖パロへもケイロニアへも有利な立場になれると考えるのだったら、私を釈放することはない。これはほかのものにはきかれてはまずいいぐさかもしれないけれどね。私もまた、私などを救うためにケイロニアがゴーラと戦う、などというのはまったくのよけいなことだとしか思えなかった。だがさすがはグインどのだ。グインどのにはもう、きっとすべてはわかっておられたのだと思う。もっとも重大な――あなたをキタイの魔手から救い出すために、彼はこうして私を救出するという名目でやってきたのだし、それは、むしろ、私よりもあなたを中原の運命のために重大だと考えたからこそだよ。――その彼があなたを追いつめてしまうはずはない。現にあなたは強大なケイロニアとのたたかいをおえても無事に、傷ひとつおわずにここにこうしている。もしもグインがそうしようと思ったのなら、あなたは無事ではいられたはずがない。――まだ会ったこともないのに、私はそう信じられるよ。ふしぎなことだな」

「まあ……それは、だけど……そうだろうな。やつは……やつは特別なんだ。やつは……

…人間じゃねえ。いや、豹頭だからって意味じゃねえ……いや、人間なんだろうけど、だから……やっぱり、やつは……特別なんだ……」

「ヴァラキアのイシュトヴァーンが、そんなことをいうとはね！」

おかしそうにナリスは笑った。

「他の人間は誰ひとりとして、あなたがそのようなことを――誰かほかの人間をことあろうに『やつは特別』だなどと口走ることがあろうなどとは想像さえもつくまい。――また、グインでさえなければ、あなただって、口が裂けたってそのようなことは云うつもりはあるまい。――そう、そのグインともうじき会えるのだね。ついに――そう思うと、とにもかくにもあのときこのとき、早まっておのれのいのちを絶ってしまうことなく、こんな死に損ないのようなありさまででも生き延びてこられて、なんてよかったのだろうという気が私はする――この私でさえ、それでは、ヤーンのきびしい運命の手だけではなく、ヤヌスの優しい慈悲の目によっても見守られているのだ、という気がしてならない。一方では、なんだか、そんなことが本当におこるのだろうか――またしても運命のいたずらで、明日会うということになれば今夜にでも大嵐がおこって――それとも何かおどろくべき運命が起こって、私がキタイへ拉致されるとか――何でもいいが、とにかく私とグインを会わせまいとするヤーンのいたずらが動き出すような気がして、本当に目のまえにグインを見るまでは決して何ひとつ期待したり、信じたりすまい、という気がしてしかたがないのだがね！」

「あなたをキタイへ拉致したりなんて——俺の陣営のなかからさ——させねえよ。させるわけがねえだろう」

怒ったようにイシュトヴァーンは強く言った。

「そんなことになりでもしたら——それこそ中原は天地がひっくりかえったような騒ぎになっちまうじゃねえか。……じゃあでも、とにかくグインには、ナリスさまはすぐにでも会いたいといっておられる、っていう使者を出しておくし、グインは単身で俺の本陣にやってくるとまでいってるから……この場から動かないで、もうきょうあすには、グインと会見するだんどりをつけることにするよ。それでいいだろう」

「イシュトヴァーン」

ナリスは、ふいに、かぼそい声でいった。そして、手をさしのべようと必死にもがいた。

あわててイシュトヴァーンはナリスのかたわらに膝をついた。ナリスは、苦しそうに手をもちあげて、イシュトヴァーンにすがりつこうとした。

「イシュトヴァーン。——おお、なんということだろう！　それでは、本当に——本当に、私は……グインと私があいまみえるときがやってきてしまうというの？　まもなく？」

イシュトヴァーンは困惑したように、ナリスの痩せ細った肩をおさえた。

「駄目だよ、起きあがろうとしては……からだに悪いんだろう。困ったな、あいつらを呼んだほうがいいのかな」

「おお、イシュトヴァーン」

ナリスはかすれた声でつぶやくようにいうと、必死にイシュトヴァーンのたくましい腕につかまって身をおこそうともがいた。だが、からだがいうことをきかぬと知ると、あきらめて、イシュトヴァーンの腕にその額をおしあてた。

「ああ、なんだか……私は、嬉しいんだか、恐しいのだか……わからなくなってしまったような気がするよ！　あまりにも長いこと、それればかり考えてきた……それればかり、いつか会えるだろうと……楽しみにしてきすぎて……なんだか、私は彼の上に、たいへんな偶像を思い描いてしまっているような気がする。最初は……私とリンダの婚礼の使者として、ケイロニアからやってきてくれる、という話があったのだが……あいにくとシルヴィア姫が拉致されて、彼はそのままキタイへ発っていってしまった。それでどれほど私ががっかりしたか——だが、そのときにはまだ、そんな、生ける神話のような——吟遊詩人の物語のなかから立ち現れたような存在をこの目で見てみたい、というその気持だけだった。……ノスフェラスにいってみたい、と思っていたのと同じようにね。

ずっと私は――このようなからだになって、動けなくなって永遠にベッドに縛りつけられる前から、ずっともう、パロの大理石の宮廷のなかの、かごの鳥だったのだから……」

「ナリスさま。……横になったほうがいいんじゃないのか……なんだか、額が熱くて……」

「ちょっとのあいだ、こうして――お前につかまらせていて。なんだか心臓が破れてしまうんじゃないかという気がするんだよ！　あまりに、興奮しすぎて……どうしていいかわからなくなる。そう――最初は、ただ、生ける神話をこの目でみたいという、ただそれだけだったはずなのに――そのあと、あまりにもいろいろな話をきき――いろいろな彼の事蹟を見てゆくうちに……なんだか、だんだん私のなかで、《グイン》――ケイロニアの豹頭の戦士グイン、というものが……ふくらんでゆき、ふくれあがってゆき――とうとう、グインに会うことと、ノスフェラスをこの目で見ることが、まるで私のこの残されたぼろぼろの人生のさいごの目的ででもあるかのように思われてきて――でも、ノスフェラスについては、このからだだから、とっくにあきらめていて、ただの憧れにすぎないと自分にずっと言い聞かせてきていたのだけれど……」

「ナリスさま……」

「すまない、ちょっとその……吸呑みをとってくれる」

「これか……こうやって、口にあてればいいのかな?」

「有難う。ああ、生き返るよ……ああ、イシュトヴァーン、ノスフェラスのことはもう諦めがついたけれど……グインのほうは、生きて動いているのだから……もしもヤーンが許したまわば、いつの日か、直接あいまみえて……ことばをかわすことができるかもしれないと——ずっと、思っていて——国王として、あるいはパロの宰相として手紙を出したこともあったし……話もたくさんきいたけれど、でも——なんだか、いまになってみると、わかるよ。私がまったく、彼とまみえることがあるなど、信じてさえいなかったことが……」

「ナリスさま。……なあ、本当に、大丈夫なのかな……俺、なんだか心配になってきちゃった」

「かまわないよ。ちょっとだけ……こうしていさせて。まだカイたちを呼ばないでほしい……私のような育ちで、からだのものは、もう、誰にも、おのれの身や心をゆだね渡してしまうほかには生き延びてゆくすべがないのだけれども——いまはあまりに特別なので……あまりに、ほかのこととちがうので——そのいまを、ともにいるのがお前で、お前だけで——私は……嬉しいんだ。イシュトヴァーン」

2

「ナリスさま……」

イシュトヴァーンは、いくぶん困惑し、また、いまにもこの人はおのれの腕のなかで絶え入ってしまうのではないだろうか、という大きな不安にかられもして、おそろしく青ざめているのに頬だけさっと紅潮しているナリスのちいさな顔を見つめていた。イシュトヴァーンの見るナリスは、いつも、落ち着き払って、何もかもわからぬことなどない、といいたげにゆったりと寝台のなかで微笑んでいるすがただったのだから。

「なんだか……」

イシュトヴァーンは困惑したようにつぶやいた。

「まるで……いまのナリスさまって――なんだか、小さい子供みたいに見えるよ……」

「ヴァレリウスによく云われたよ……ノスフェラスと、グインのことになると、あなたは、まったくの小さな子供のようになっておしまいになる、って。……だから、会わせてあげたい、ノスフェラスにゆかせてあげたい、と――云ってくれたけれども――でも、私は思っていた……もう、ノスフェラスにいったところで、私は自分の足で立ってその白いあつい砂をふみしめることさえ出来ないのだから……」

「……」

「ノスフェラスではてしない冒険をしてきたひとびと——なんと、胸をときめかせることばだろうね」

うっとりとナリスはつぶやいた。

「私の妻も——そしてお前も……グインも。そう思えばレムスでさえ、あまりにも胸が苦しいほどうらやましく、ねたましい。——しかもリンダもレムスもお前も——ずっとグインとともにあり、そのふしぎな謦咳に接してそれをあたりまえのように思い……そのために運命がかわり……」

ふいに、ナリスは激しくせきこんだ。イシュトヴァーンはあわてた。

「ナリスさま！　あいつらを呼ぶよ、いいな！」

「まだ……ちょっと待って……」

ナリスは、激しくイシュトヴァーンの腕にとりすがったまま、苦しそうにせきこみながら、細い肩をふるわせていた。それから、イシュトヴァーンの手からまた吸呑みの薬を飲み、ようやく、多少ひとごこちを取り戻したようすだった。

「あまり……そのう、興奮するとからだに悪いんじゃないのか……グインと、それでもし直接にあったりして、あまりに……そのう……」

「それで死んでもかまわない。その場で私の息がたえてしまうのなら、それほどの本望はないよ……」

ナリスは喘いだ。イシュトヴァーンはそっとそのナリスを寝台に寝かせようとしたが、ナリスはかるく力なくあらがった。

「イシュトヴァーン……お前はグインとともに見たのだね、あの……ノスフェラスの荒野を……なんだか、何もかも夢みたいで——神話そのもののようで——とても本当とは思えないのに……ああ、イシュトヴァーン、お前が私にとっていつも特別だったのは、お前がノスフェラスをこえてやってきた若者だったからかもしれない……リンダもまた……」

「あんなとこ……何にもねえ、くそ暑くてだだっぴろくて、セムのサルどもばっかしいて、気色わるい怪物どもがうようよしてて、とんでもねえとこだぜ」

イシュトヴァーンは云った。

「あんなとこに、連れてったら、ナリスさまみたいなかたは、いっぺんでからだを悪くしちまうよ。とにかくべらぼうに暑いわ、水飲もうとすりゃ水のなかから大口がかみつくわ、岩に手をつきゃあ岩に化けた化物がかみつくわ、砂のなかにゃ砂虫って化物がいるし、セム共はキイキイいいながらおそってくるし……砂ヒルだの、エンゼルヘアーだのって、なんかわけのわかんねえものばっかしいるし——あそことナリスさまくらい、似合わねえものなんか、考えもつかねえくらいだよ」

「おかしいね、おかしいね、イシュトヴァーン——」

ナリスは喘いだ。だが、ついにどうしても、寝台の上にからだをおこしておくことはできなくなったようだった。ナリスの頰の紅潮がうすれていって、みるみる蒼白になってゆくのをみて、あわてたイシュトヴァーンは、そっとナリスを寝台の上に横たえさせようとした。ナリスは弱々しくイシュトヴァーンの腕にすがりついてきた。イシュトヴァーンは、思わず、そっとその肩を抱きしめた。

「お前とは……もうずいぶん昔から知っているのに、そのような話をしたことは一度もなかったよ。——お前が、その話をしてくれさえしたら、きっと私は——たとえ誰がどのように反対しようと……決してゴーラを敵にまわそうなどと考えもしなかっただろうに……」

「なんで、そんなにノスフェラスなんかが好きなんだ？」

イシュトヴァーンはふしぎそうにきいた。

「俺にゃわからねえ……俺は世界じゅういたるところを、レントの海からコーセアの海、南方のはるかな海賊どもの海からあやしいランダーギアの古代王国、それに北の、雪と氷の伝説の国や、死人の都ゾルーディア……ゆかなかったとこなんかねえくらい世界中、まわってきたけどな。ノスフェラスなんか、また行きたい、戻りたいと思ったことなんかいっぺんもねえぜ。――こうしていたって、レントの海は恋しいなとか、ランダーギアもまんざら悪いとこじゃなかったとか……いろいろ思うことはあるんだけど、ノスフェラスだけはもうまっぴらごめんだと思うぜ？」

「そう、それは……たぶん、そうなんだろうね。ひとたび、そこをかけめぐることのできたものにとっては……」

ナリスは肩で息をしながら、ひどくかよわい声でつぶやいた。

「そこにどのような……古代文明の奇跡が埋もれているのか……そして、この世界がどのような巨大な謎につつまれているのか――私には……永久に見ることもできないだろうと思うと……私は、パロの王子なんかに生まれたくはなかった。私は――偉大な魔道師かなんかに弟子入りして……星々のあいだを自由にかけめぐったり、ノスフェラスの謎をとくために生涯をささげたりしたかったんだよ……こんなところで……こんなふうに、動きもできないのに王だなどと名乗って陰謀をめぐらしたりしているよりは……どんなにか……」

「ナリスさま」

イシュトヴァーンはいくぶんうろたえた声になった。

「おい。ヨナ、カイ、ちょっと入ってこい。ナリスさまはだいぶん……だいぶん、お加減が悪いみたいなんだ」

「なんですって」

窓から声をかけられた瞬間に、扉があいて、ヨナとカイが飛び込んできた。かれらは、寝台の上で熱にうかされたようにぐったりとなっているナリスをみるなり、はっとなったようすだった。

「お熱がかなりあがっておられるようだ」

ヨナが叫んだ。

「カイ、モース医師《せんせい》を、早く」

「かしこまりました」

ふたことと云わずに、カイが飛び出してゆく。ヨナはイシュトヴァーンをにらみつけた。

「ナリスさまをこんなに興奮させるなんて——何をいったんです。何をしたんです。この悪党」

「おい」

イシュトヴァーンはおそろしく顔をしかめてヨナをにらんだ。

「なんだと、お前、なんだかだんだんあのヴァレ公に似てきやがったぞ。口のききかたまで」

「ナリスさまのおからだには、興奮はとてもさわるんですよ。……ナリスさまにいったい何をしたんです」

「何もするもんか。何ができるってんだよ、こんな病人に」

むっとして、イシュトヴァーンは怒鳴った。ヨナは血相をかえた。

「そんな大声を出さないで。おからだにさわりますから。さあ、出てってください。こんな窮屈なベッドに寝ておられるだけでも、ナリスさまのおからだには悪いんです。ずっと、このところ、何も文句さえおっしゃらずに耐えておられたけど、本当はひどく、無理をしておられておからだがつらいことは我々は察していて、はらはらしていたというのに。――だのにこんな」

ナリスはかなり弱ってしまっているようだった。目をとじたまま、もう、かすかに肩で息をついているばかりで、何も口を開かない。そのおもては怖いほど青ざめて、血の気をなくしていた。

イシュトヴァーンは困ったようにそのようすをみたが、ふいに、ぐいとヨナの細い腕をつかんでひきよせた。

「何をするんですか。僕はナリスさまのご看病で忙しいんですよ」

「お前は、いまでは骨の髄まで神聖パロの参謀長か」

イシュトヴァーンはけわしく云った。

「もう、お前のなかには、これっぽっちもヴァラキアの血は残ってねえのか。俺の恩義は恩義、それはもう昔のことで、いまのお前はひたすら、ナリスさまの忠実な参謀か」

「そうです」

ヨナは激しく、イシュトヴァーンをにらみかえした。

「十二歳から十年以上、ずっとパロで生きてきて——ナリスさまに教えていただいたこともはかりしれず……いまの僕は、何よりも神聖パロの参謀です。あなたが殺したラン将軍は僕の無二の親友だったんだ」

「………」

イシュトヴァーンは、そのヨナの、ほっそりした、痩せた、だが強情そうな顔をじっと見つめた。それから、ふいに手をはなした。

「わかったよ。勝手にしやがれ」

捨てぜりふのように言い捨てると、そのまま彼は、ずかずかと馬車を降りていってしまった。

ヨナは、イシュトヴァーンを見送る手間さえかけなかった。

「ナリスさま。——ナリスさま。しっかりなさって下さい。どうなさったんです」

「大——丈……夫」

ようやく、かすかな声が、ナリスのかわいた唇からもれる。

「ちょっと……嬉しくて、興奮しすぎてしまった……だけだよ。悪いのは……イシュトヴァーンじゃない……何も彼は……悪いことはしていない……グインについに……会えるときいて……私があまりに興奮してしまったので……彼のほうが困っていたよ……一生懸命、なだめて……介抱してくれまでしたんだ……」

「彼のせいでみんな死んだんです」

ヨナは硬い口調でいった。

「それが——自分のえにし浅からぬ……深い恩義のあるイシュトヴァーンのせいだと思えば思うほど……私はいたたまれぬ思いで……もう、二度と彼とは口をきくことも顔をあわせることもせずにすめばと思っていたのですが……そんなことを云ってる場合じゃあない。ナリスさま。お背中をおさすりしますから、ちょっとだけ、お首を」

「有難う……」

「ナリスさま。モース先生がみえました」

カイがあわてて老医師を連れて戻ってきた。モース医師は、ナリスのようすをみると、眉をしかめた。

「血のめぐりに相当な負担をかけられてしまったので、とてもいまお苦しい状態になられているようだ」

モース医師はナリスの脈をたしかめながら云った。

「お脈がひどく乱れてしまっている。ヨナどの、お背中を、前にお教えしたように、ゆっくりと下からさすりあげて、またさすりおろすようにしてあげて下さい。それから、カイ」

「は、はいッ」

「なるべく冷たいお飲物を用意できないか、カラム水ではなくて、水かなにかがいいのだが。それから、冷たい水があれば、ちょっとおつむりを冷やしてさしあげたいので、布と一緒に」

「かしこまりました」

カイがまたかいがいしく飛び出してゆく。

「いまのナリスさまのおからだには、興奮されることくらい、こたえることはないんだから……」

モース医師はぶつぶつとつぶやいた。

「ずっともう、血液のめぐりはとてもよくない状態でいられるんだから。お苦しいでしょう、ナリスさま、いますぐ、ちょっとお冷やしすれば、少し楽になられますからね。とにかく、興奮されぬことだと、何度も申し上げていますでしょうに。……ヨナどの、こんどはちょっと、仰向けにして胸をさすってさしあげて下さい。強すぎないように、気をつけて」

「はい」

「カイが早く戻ってこないと……もうひとり誰か呼んで、ちょっとあおがせましょう。馬車のなかがむっとして空気がこもっているようだ」

「はい」

＊

（なんだか……）

イシュトヴァーンは、本陣に戻ってきながらも、ひどく妙な気分のままだった。

おのれの腕のなかで、一瞬にして、ナリスがそのまま絶え入ってしまいそうな恐怖を感じた、さっきの奇妙な不安と、そしてふしぎな魅入られた感じがまだ消えていない。

――彼のたくましい腕にかかえられたまま、いまにもナリスがそのまま消滅してしまいそうな、そんな異様な感じがまざまざとしたのだ。あまりにも、彼からみれば、ナリスははかなく、かぼそすぎて、とうてい人間とも思えなかった。

（人間というより……なんだか、まるで、蝶々かなんかみたいで……なんか、乱暴につかんだら、そのまま消えちまいそうなあぶくかなんかで作ってあるみたいな……）

もとから、確かに、そういう人間離れしてかよわく、はかなげな、繊細な人ではあったとは知っているが、このところのナリスというのは、見るたびに、（ここまで、かぼそくて繊細な、この世のものならぬような人間がいるものなのだろうか――）という驚異を、イシュトヴァーンに与えてやまぬ。同時に、そのような彼をみていると、奇妙な不安感――うっかりふれたら壊してしまうのではないか、自分のような乱暴者がそばにいて荒っぽく振る舞うだけでうすいクムの硝子が砕けるように砕け散ってしまいはせぬか、という恐怖にかられていたたまれなくなるのだ。

「ふう……」

イシュトヴァーンは我知らず、太い溜息を吐き出していた。なんとなくあの馬車のなかでは、当人としては、息さえも詰めていたような感じがするのである。

「お帰りなさいませ」

マルコが近づいてきた。

「ご命令のとおり、隊長たちはみな集まるように申しつけてございますが……」

「ああ、ちょっと休んだらゆくから、なんか飲むものをくれ。あ、いや、火酒じゃなく……なんか、カラム水かなんかがいいな」

「は？　カ、カラム水でございますか？」

思いもよらぬことばをきいて、仰天したようにマルコは目を見開いたが、何もいわず近習に顎をしゃくった。

だが、イシュトヴァーンのほうは、深刻であった。そのままどかりと床几に腰をおろし、またしても深い溜息をつく。

（いよいよだな。——くそ、いよいよ、やつらになんていって説明するか、真剣に考えとかなくちゃいけねえ時がきちまったってわけだ……）

じっさいに、彼らを前にすれば、それなりに、適当なことばも口をついて出てくるだろう、とは思ってはいる。だが、とりあえずの筋道、話し方の順序くらいは考えておかねばなるまい。

（どうもなあ……まずいよなあ、俺がその……キタイのなんたらとかにたぶらかされて、というのか？　そのなんとか睡眠だか催眠だかをかけられて、いうなりにされてマルガを襲った、なんていうのは……）

特にそれが、スカールとの一騎打ちのあと、崖をころげおちたときにおきた出来事だ、というのが言い出しにくい。一人になったとたんにそうやってキタイ王になどとらわれていうことをきかされる隙を作ってしまった、というのが、狂戦士をもってならす彼としてはまことに立場がないのだ。

（といって……なんとか、とにかく納得させておかないと……）

神聖パロ軍とリンダたちのほうはグインが説得してくれるにしたところで、どうあってもゴーラの隊長クラスだけは、イシュトヴァーンが自分でちゃんと説明し、納得させ、そして、これまでさんざん殺したマルガの神聖パロ軍のためにこんどは戦うのだ、ともに戦うのだ、ということを、兵士たちまでが納得できるような論理で——隊長たちが兵士たちにちゃんと説明できるほどに単純で明快な論理で説明しなくてはならないのだ。

(くそ、いっそ逃げ出しちまいたいくらい、面倒くせえ話だなあ……)

そうでなくとも、イシュトヴァーンは演説が苦手である。

つね日ごろ、それが自分の王としては最大の弱点だ、と思っていなくもない。グインもナリスも、みなそれぞれにちゃんといざとなれば懸河の弁舌をふるって、部下たちに感銘をあたえる、ということができるようだ。あの、一見いかにも口が重そうに見えるグインでも、である。

(けどなあ……俺は……)

ことばも知らないし、そもそも敬語だの、丁寧な言い回しなどというものはまったく使えない。その上に、面倒くさがりで、口不精とでもいうのか、ことばでわからせようと思うのがことのほかかったるいほうだ。

(くそ、ああもう、なんていったらいいんだろうな……ああもう、いきあたりばったりしかねえか……それしかねえなあ……)

それでも、ここで自分が火酒を飲んでくらい酔ってしまっていたら、本当にみなの信用をなくすのが簡単だろう、というくらいの分別だけはあった。だから、カラム水にしておいたのだが、本当はからだがふるえてくるほど、強烈な火酒を飲んでそれで勢いをつけて一気に話をしたいのだ。酒の力をかりたい気持は十二分にある。

イシュトヴァーンはしきりと咳払いをして、酒を飲みたい気持をごまかそうとした。

そのときだった。

「陛下」

緊張したおももちで近習頭がかけよってきて膝をついた。

「たったいま、お国表から——イシュタールからの、カメロン宰相のお使者が到着いたしました。きわめて重大なお知らせをおもちとのことで、陛下おひとかたにご報告をということでございますが」

「国表？　イシュタールでなんかあったのか？」

イシュトヴァーンはけわしい顔になった。

「よし、通せ」

「はい」

ただちに通されてきたのは、イシュトヴァーンにも見覚えのある、カメロンのドライドン部隊の騎士だった。それもかなり上のほうの——隊長クラスの者である。カメロンの、特に信頼あついもののひとりであったように覚えている。

「なんだ、お前か」

イシュトヴァーンはいっそう、ただごとならぬ——と感じ取って、厳しい顔になった。

「おい。そこの近習、人払いだ。厳重に人払いをしてくれ」

「かしこまりました」

あたりは、建物とてもない平野のまっただなか、人払いといったところで、まわりは親衛隊の精鋭たちが固めている本陣のなかである。せいぜいが、かれらをちょっと遠ざけ、そして使者を近寄せて内緒話をさせるくらいしかできぬ。

「もっと近くに寄れ。小さい声で喋れ——なんだってんだ」

「ちょっといろいろと……いぶかしいことがございまして……自分もその件についてもお話申し上げなくてはならぬとは思っているのでございますが……」

使者はイシュトヴァーンの耳もとに口をよせた。

「その以前に、とにかく、一刻も早くお伝えせねばなりません、重大事を……のちほど書状のほうもお渡しいたしますが、それだけでは、陛下が、たばかられたのではないか、にせの情報ではないかとお疑いではないかと、カメロン閣下がご心配であられて——それで、陛下とは失礼ながらお顔見知りのそれがしに使者の役をたまわりました。のちほど、カメロン閣下の書状をお渡し申し上げます」

「いいから、早く云え」

奇妙な不安感に、心臓が強くたかまりはじめるのを感じながら、イシュトヴァーンは云った。

「とにかく、その知らせの内容をいえ。早く云え」

「かしこまりました。では……たいへん残念なお知らせをせねばなりませぬ。ゴーラ王妃、モンゴール大公アムネリス・モンゴール陛下は、ご出産の肥立ちよろしからず、産褥にてお亡くなりになりました。また……」

「なんだと」

自分でも、びっくりするほど大きな声が出た。

イシュトヴァーンは、いそいで口をおさえた。

「すまなかった。もう一度いってくれ」

「はい。ゴーラ王妃、モンゴール大公アムネリス陛下は、初のお子ご誕生をひかえておられましたが、ついにご出産を迎えながら、肥立ちよろしからず、手当のかいもなく産褥にて、お亡くなりになられました」

「アムネリスが、死んだ……」

「はい。そのさい、ご出生になられたのは若君にて、王子様はただちに乳母にとりあげられ、いったんはあやぶまれたものの、その後なんとか持ち直され、とりあえずはすこやかに発育しておられます。おそらく、この後注意を配ってお育て申し上げれば、すくすくとつつがなくご成長になろう、との医師のお診立てでございます。――王子様は黒髪、緑の瞳、たいへんお美しく、ご両親によく似ておられ――」

「そんなことはどうでもいい」

イシュトヴァーンはうなるように云った。いきなりふってわいたこの情報を、頭が整理することができなくて、混乱していた。

「子供が産まれた、だと。男――そういったな」

「はい。ゴーラ王陛下には、世継の王太子様、ご誕生ということでございます。――王妃陛下のご逝去をいたみ、王太子殿下ご誕生を心よりお喜び申し上げる、これがカメロン宰相閣下よりの御伝言でございました」

「男の子……アムネリスが死んで、俺に、男の子が……」

まだ、父親になった、などという実感がわいてこようはずもなかった。イシュトヴァーンはがりっと、歯をかみ砕かんばかりに食いしばった。

「なお、アムネリス陛下のご遺志によりまして……王太子殿下にはすでに、ご命名が与えられましてございます。――アムネリス陛下のさいごのおことばによりまして、王太子殿下はこのように名付けられました。ドリアン王子、と」

3

「ドリアン」

イシュトヴァーンはゆっくりと、まるきり知らない単語をきくように——事実そうだったには違いないが——くりかえした。

「ドリアン、だと」

「さようでございます」

「ふざけんな。——ドリアンって、ドールの子、という意味じゃないか。……てめえの子供に、そんなふざけた名前をつける母親が、どこの世界にいるってんだ」

「それは、わたくしはなんとも……」

使者は困惑した顔になった。

「わたくしは、ただ、お伝えにあがったばかりで……こちらに、カメロン宰相閣下よりのご親書がございます」

「よこせ」

イシュトヴァーンはひったくるようにして、箱をうけとり、そのなかに入っていた、カメロンからの手紙をむさぼり読んだ。

それから、それを無造作にまるめてかくしにつっこんだ。

「おい」

「はッ」

「お前、なんだかさっき、わけのわからんことがあった、といってたな。いぶかしきことがどうたらこうたら——とかな。それは、何のことだ。アムネリスのくたばったのと、餓鬼が生まれたのと、そのほかにまだなんかあるのか」

「い、いえ。ご使者の内容について、ではございません。自分はワン・エンと申す、ドライドン騎士団の一員にございますが、特にこのお知らせは重要につき、誓ってイシュトヴァーン陛下をたずねあてて直接にお知らせ申し上げ、ご帰国をうながされるよう、カメロン閣下にかたく申しつかり、十名の騎士ともども国表を出ました。たいへんに道をいそぎまして、自由国境までは順調でございましたが、パロに入ろうとする国境付近となりまして、どのようにして陛下のおられる場所をつきとめたらよいか、それに迷いまして、あらかじめ情報を得るため、いっとき自由国境に滞在いたし、十名のうちの六名を四方に派遣して、陛下と陛下の軍勢についての情報を得ようとしたのでございますが、あいにく、自由国境よりパロ領内にいたっては完全にレムス王側の版図となっておりまして、六名のうち三名が、あやぶまれてとらわれたり、脱走しようとして命をおとしたりするということがございました。それで、そこでいっとき足止めをくらった格好になり、国表にご相談するも時がうつりますし、どのようにいたしたものかとあぐねておりましたところ——つい、二ザンほど前のことでございますが、突然、神聖パロの魔道師と名乗る黒衣の魔道師が私のまえにあらわれ、事情はすべて承知しており、またカメロン宰相との連絡により、一刻も早くイシュトヴァーン陛下にこのお知らせを持ってゆかねばならぬことと思う、それについて、移動を手伝うか、あるいはかわりに親書をお持ちしよう、という申し出でありましたので、当然、重大な使者につき、そのような、見ず知らずの人間に委託などは出来ぬ、と答えましたところ、では、魔道師のわざ《閉じた空間》というものによって、イシュトヴァーン陛下の陣営まで運んでやろう、といわれまして、一瞬私がたじろいでいたところ——そのう、信じていただけるかどうかわかりませんが、ちょっと意識がなくなりまして、気が付いたときには、すでにこの、ゴーラ軍の陣営におりました。私を誰何するゴーラ軍の兵士の手で揺り起こされて気づきまして、ここはどこかときいてみたところ、ゴーラ軍の陣営であり、たったいまイシュトヴァーン陛下が、グイン王との一騎打ちからお帰りでこれより重大な発表があるらしい、ということでございましたので……あわてふためいて、伝令をお願いし、いろいろといぶかしい点はございましたが、ともかくも、このお知らせのみ、お伝え申し上げようと思いましたしだいで……誓って、その間に何か親書に小細工などはされておらぬと存じますが……何分……」

「ああ。いい」

イシュトヴァーンはむんずりと云った。

「わかった。——どういうことだか、よくわかったよ。グインがまた、親切にその情報を俺の耳にいれてくれねばと考えたってことなんだろうよ。そのなんとかってもので、ここにとばされたのはお前一人か」

「さようで、ほかのものたちはどこにいったのか、まったくはぐれて見えぬので困惑しておりますが……」

「まあいい。あっちにゆくとマルコがいる。あいつならドライドン騎士団あがりだからお前もよく知ってるだろう」

「はい」

「あっちにいって、とりあえずマルコと合流しておけ」

「かしこまりました」

ワン・エンはまだなんとなくいぶかしげなようすのまま、丁重に礼をしてさがってゆく。

イシュトヴァーンは小姓を呼んだ。

「マルコを呼べ」

「は、はい、こちらに……」

「なんだ、そんなとこにいたのか。——おい、マルコ、いま、あのワンてやつがおそろしく重要な情報をもってきた。だが、そのきかたがどうも変で、途中でパロの魔道師だかなんかが、なんとかという魔道でここまで運んでくれた、とかいうんだ。お前、あのワンてやつ、よく知ってるんだろう」

「はい、かなりよく」

「じゃあ、あっちにいって、お前と合流しろっていっといたからな。やつと話をして、ほ、ほ、ほんもののやつかどうか確かめろ。なんかそれこそ、やつに似たニセモノか、それともやつには違いないが頭をそれこそ誰かにのっとられて操られて偽の情報を流しにきたんだったりしねえかどうかかな。そのへんは、よく知ってるっていうなら、話してみれば多少はわかるだろう。——くそっ、もうこの国はなかなかにこりごりだぜ。なんだって、こんなに、もうむやみやたらと魔道だ、魔道師だ、あやしげな《閉じた空間》だ、催眠術だってことばかりありやがるんだ。こんなの——こんなの、好かねえにも程があるぞッ」

「は、は——御意……」

「いいんだ。行ってくれ」

マルコを追い払って、イシュトヴァーンは頭をかかえこんだ。そして、これはもう、カラム水ではとうてい間に合わないと判断して、小姓に火酒をもってこさせた。

(なんだと……)

実は、知らせをきいたその瞬間に、イシュトヴァーンは、それが嘘いつわりの知らせではないことははっきりと確信していたのだった。

なぜかはわからぬ。——が、その知らせをもってきたのが知っている騎士だったし、それにさしだしてみせたカメロンの書状も、書式も捺印も、また文字そのものもすべてよく知っているカメロンのものだったから、というだけではない。

それだけではなく、ワンのいったことばをきいた瞬間に、(これは、本当だ——)という、非常にはっきりとした直感が、イシュトヴァーンのなかに生まれたのだった。いかにもありそうなことであった、というだけでもない。——また、グインが、どのように考えて、その国境地帯であぐねていた使者を手伝って自分のもとに送り込ませたのか——手伝ったのはパロの魔道師にせよ、その命令がグインから出ていることは、イシュトヴァーンはまったく疑わなかった——ということも、最初からおそろしくはっきりとイシュトヴァーンには感じ取れていたのだが、それのせいだけでもなかった。

(これは……本当のことだ……)

その意味では——

たとえどのようににくしみあい、さいごには傷つけあい、殺し合うようななりゆきをたどったとはいえ、夫婦のきずな、ひとたびは愛し合っているとさえ思った男女のきずな、というようなものが、なくはなかった、ということなのかもしれぬ。

（そうか。——アムネリスは、死んだのか……）

産後の肥立ちがよろしからず——ということばそのものをも、イシュトヴァーンはしかし、あまり信用してはいなかった。

（なんか、おかしい。——きっとこの死に方はなんかある……いや、本当に、まあ、そういうこともあるのかもしれねえが……出産で死ぬ女なんて、べつだん、それほど珍しかあねえからな……けど、なんか……なんかひっかかるな。アムネリスに限って、って感じがするし——それに……）

（それに、そうだ——そうだ、ガキが生まれて、それですっかり心がほどけたんだとしたら——自分の子供に、悪魔の子——ドリアン、なんていう名前を付けるものか……）

何がどうしてそういうことになったのか、アムネリスの気持や、なりゆきについてはまだおよそ想像するほかはない。

だが、イシュトヴァーンは、なんとなく、それさえもわかるような気がしているのだった。

（アムネリスが、死んだ……）

(だが、待てよ……)

(そうか。……こいつは、俺はいろいろと……大変なんだな……ウム、こんなとこで、のんべんだらりと時間を使ってるひまは……ねえってことか……)

(すぐ――すぐイシュタールに戻らなくちゃ……たぶん、これがひろまれば、モンゴールも揺れる。……旧ユラニアがどこまで揺れるのかはわからねえが、モンゴールは確実に揺れる。ある意味、アムネリスのやつは、旧モンゴールに対しては、人質の意味をもってたからな……それがいなくなったとなると……モンゴールの残党が、たとえば牢にいるマルスを助け出して……なんとかモンゴール大公国を復活させようと――そういうさいごのわるあがきをする可能性もあるし……)

(こりゃ、こんなとこでのろのろしちゃ、いられねえな……)

いきなり、イシュトヴァーンは飛び上がった。

「陛下!」

「もういっぺん、ナリスさまのところにゆく」

イシュトヴァーンは怒鳴った。

「小姓、そう前触れを出しとけ。とてつもなく、大事なことだから、たとえナリスさまがお加減が悪くったって、まかりとおるぞ、となる。わかったか」

*

「イシュト！」

馬車の前に、血相かえて立ちはだかっていたのは、いうまでもなくヨナであった。

「駄目です！　いまは、ようやくナリスさまはおやすみで――やっと、落ち着かれたばかりなんですから！」

「うるせえなッ」

無造作に、イシュトヴァーンは、ヨナをぐいとおしのけた。ヨナは必死におしのけられまいとした。

「無法な！　だから、云ってるでしょう、ナリスさまはお加減が本当に悪くて……あなたのせいで――」

「だから、うるせえって云ってんだろう。こっちも、大変なんだよッ。とにかくどけ！」

「駄目です、ナリスさまはやっとせっかくお休みに――」

「ヨナさま」

馬車の戸があいて、首を出したのはカイだった。

「ナリスさまが、外のさわぎをお聞きつけになって、イシュトヴァーンどのがそれほどおっしゃるなら何か非常に重大なことだろう、会おうとおっしゃっておいでになります」

「………」

ヨナは腹立たしげにイシュトヴァーンをにらみつけた。

もう、そのまなざしには、かつての恩義ある旧友への親しみも、友情も、あらかた消え失せていた。ヨナにとっては、カラヴィアのランがマルガ離宮の攻防で戦死したときからすでに、イシュトヴァーンへの懐旧こもごもの友情の名残もすべて消滅していたのだ。むしろ、イシュトヴァーンは、彼のまえにあらわれてからこのかた、ただひたすら災厄と無理難題と難儀ばかりを彼の大切なあるじにもたらす悪魔にほかならなかった。

イシュトヴァーンはそのヨナの視線など気にもとめずに、馬車のなかに飛び込んでいった。

「外に出てろ」

カイとセランに乱暴に命じる。ナリスはおだやかにうなづいてみせたので、二人は心配しながらまた馬車を降りていった。

「どうしたの、イシュトヴァーン、何か大変なことがあったようだね」

「アムネリスが死んだ」

「アムネリスが」

一瞬、ナリスは云った。その声はしかし、しずかだった。

「そうか」

「あんた……」

そのしずかさになんとなく胸をつかれて、イシュトヴァーンはまじまじと相手を見つめた。

「まさか、もう、きいて知ってた、なんていうんじゃないだろうな……」

それへは、ナリスはなんとも答えなかった。イシュトヴァーンはだが、それどころではなかったので、それにこだわっていたのは一瞬だった。

「でもって、やつが死んだかわりに、俺には男の子が残された。はじめての子供だ。アムネリスが、そいつにもう名前をつけたんだそうだ。——ドリアン、と」

「ドリアン」

ナリスはかすかに眉をひそめた。

「ずいぶんと——わが子につけるにしては悪趣味な名前だね。ドールの子——アムネリスは、あなたのことを恨んでいたの？　イシュトヴァーン」

「そりゃ、恨んでただろう。俺は結局やつの国を滅ぼし、やつを幽閉して、名ばかりのモンゴール大公としてそのままイシュタールに連れてきちまうってことになったものな」

むっつりとイシュトヴァーンは答える。

「俺は、でもなんだか――使いは、産後の肥立ちがどうこうといってたが、俺はあの女がどんなに俺を恨んでたか知ってるし――それに、あいつは、そんな、産後の肥立ちがどうこうというくらいでくたばるようなそんな玉じゃなかった、と思うんだ、あんただって知ってるだろう」

「……………」

「あいつは頑丈な田舎の女だった。大柄で、からだもでっかかったし、あんたと比べたら――あんたのほうが何倍も華奢なくらい、力もあったし、女としちゃあ、からだもしっかりしてた。それがそんな、子供を産んで死んじまうなんて、俺には解せねえし、それに――」

「あなたは、私に、その謎をといてもらいにきたの？　アムネリスの死の真相の謎を。イシュトヴァーン」

ナリスはしずかに云った。イシュトヴァーンは一瞬、びくっとしたが、やがて肩をすくめた。

「そうじゃねえ」

彼は認めた。

「そうじゃないんだ。俺は半分以上――この急な死にざまにはなんかあると思っている。

だが、それはそれでいいんだ。死んじまったものはしょうがねえ——可愛想だとか、ガキがどうだとか、そんなことはどうだっていい——ただ、俺は……俺としては、もしもナリスさまが俺だったとしたら——そんなこと、とんでもねえって、ナリスさまは思われるかもしれないけど、でも……もしも万一、ナリスさまが……」

「私があなただったとしたらどう行動するか、と、それをあなたは私に確かめにきた、というわけなんだね」

ナリスは云った。イシュトヴァーンはうなづいた。

「あんたは——あんたとグインは、俺が力を借りようが、知恵をかりようが恥ずかしいと思わないたった二人の人だと思うよ。俺は……さっき、もう俺がどんなはめになってるか、メンツがまるつぶれになりかねえとこになってるってのはもう、あんたには正直にいったよな。それでさ……このことって、このアムネリスの急死というのは……」

「それはもちろん、部下たちに、事情がかわった、情勢がかわった、もうここでこうしてのんびりとナリスごときを弄んで神聖パロ軍を焦らせている場合じゃない、ただちにイシュタールに帰らなくてはならない、たとえどんな障害があっても、と告げて、部下たちが心から納得する、これ以上ないほどの口実だと思うよ。私は」

「だよな！」

イシュトヴァーンは勇気百倍のていでうなづいた。

「ナリスさまだってそう思う……ヨナ？　俺がそれを口実にしても……ここから引き揚げるために――グインとの和平交渉に乗るために……そして、それを利用するのは、べつだん――そんなひどい人非人というわけじゃない、だって、そうしたら俺は……あなたを釈放する口実にもなるんだし……」

「そうだね」

「でも、俺は……」

イシュトヴァーンは口ごもった。

「そうだな。それでいいんだ、きっと……俺はこれでちゃんと無事にみんなを国につれて帰ってやれる。その前にもしも、レムス軍が妨害してくるようならそれこそ、しゃにむに突破してパロを出ればいいんだ、それだけのこった……」

「まだ、何かがあなたを悩ませているように思われるのだけれども」

ナリスは静かにいった。

「一体、何をそのように迷っているの、イシュトヴァーン。云ってごらん」

「その使者は……カメロンの部下で、こいつは絶対に頼りになるやつなんだけど――こいつが変なことをいったんだ。どうも、やつはパロ国境でゆきくれていたところを、パロの魔道師が出てきて、俺のとこへ連れてきてくれたようなことらしい……つまりは、グインがだんどりしたんだろうが……」

「そういうこともあるだろうね」

「ふつうなら……敵方に対して、こんな重要な情報、隠しておけば——やつがそんなふうに俺のとこに情報を届けてくれようとしてなければ、俺はまだそんな知らせを受け取る方法はないんだ。だから、当然、知ることもできない。俺んとこには魔道師なんかいねえからな。——だから、俺はずっとアムネリスが死んだことも、てめえに息子が生まれたなんてことも知ることはできないってことになる。——だのになんで、グインはわざわざご親切にも俺にそうやって知らせてくれたりするんだろう？　なんだか、俺はそれが気味がわるいんだ。もしかして、俺はだまされていて——なんかものすごく深いやつの陰謀にでもひっかけられているんじゃないだろうかって……」

「そんなことはないと思うよ」

ナリスは、イシュトヴァーンの不安の理由がわかったので、おだやかになだめるように微笑した。

「あなたがそう考えて不安になるのもわかるような気持はするけれどもね。——でも、それは、だから、グインがあなたにそれを知らせたほうがいいと思ったのは、つまり、ひっこみがつかなくなって意地になっているあなたに、その意地をひっこめるちょうどいい口実になると考えたからだと思うな。……それだけの大事件が国元で起きているとあれば、それはもう、私どころではなくなるよ。だからね、それはもう、あなたの部下たちも、マルガ奇襲のときと『あまりにも事情が変わった』んだってことを心の底から納得する。あなたが変節したとか、あなたがじゃあ、なんだってマルガを襲ったのだ、それともマルガを襲ったのにいまになってそんなふうに神聖パロと共闘するなんて言い出すんだ、誰かに操られていたのか、などということをかんぐっているいとまもなくなるよ。グインは、それがわかっていたから、あなたにとにかく早くその知らせを教えて、あなたが引っ込めるようにしてくれたのじゃないの？」

「……………」

「しかも、もしそれが陰謀であるなら、あなたはそのくらいにはちゃんと裏を読もうとする人なんだから……私がグインだとしたら、その使者に何の疑問も抱かせないような方法をとるか――なんらか別の手段を、たとえばその使者を足止めしておいて親書だけ手にいれて、にせの使者をしたててあなたのところに送り込むような手段をとると思うよ。だがそうしたら、あなたはきっとたぶんとても疑うだろう」

「そりゃ、まあ……そうだろうな……」

「だがグインは――か、グインが命じたパロの魔道師団かは知らないが、かれらは何もそういう、あなたをだます手段を講じることなく、あなたが疑念をもつであろうままにまかせてそうやって使者を送ってきてくれたわけだね。しかもその使者当人についてはあなたは疑問をもつ余地がないほど、信頼できる人間だったわけだ」

「だったら、もうそれは非常にはっきりしている。グインは手のうちを一切隠さないという方法で、あなたに、すべての札をさらしてみせて、あなたに選ばせようとしているんだよ。それはもう疑う余地はない。もしもそれをやったのがパロの魔道師団だとしても、それがグインに命じられていることはまず間違いはないだろうね。少なくともヴァレリウスならば、そこまであなたに対して友好的ではないと思うよ」

「まあ……な……」

「まったくだ」

むっつりとイシュトヴァーンは云った。

だが、それで、かなり安心できたので、いくぶん愁眉をひらいて、イシュトヴァーンはナリスにむかってうなづいた。

「あんたがそういってくれるんなら、安心だ。……俺は、なんだか——なんかまるで、この話にのったら、一から十まであんまりグインのやつのもくろみどおりに動かされて、ヤンダルなんとかじゃあなくて、こんどはグインのあやつり人形にされてるだけ、ってことになりゃあしねえかと思って、それがちょっと気になってたまらなかったんだよ。それは、正直、この知らせをきいたときには俺も、実はしめた——といっちゃアムネリスには気の毒だが、でも、これは助かったと思ったんだがな」

「——まあ、仕方ないね。……あなたがそう思うのも無理からぬ状況ではあるのだし」

「俺はちょうど、部下どもになんていったものかと——ずっと迷っていたときだったもんだから、とにかく……この話をきいて、これで無事に撤退できるだけの理由ができたじゃねえかと思ったんだけど……でも、それでもしもこんどはグインの思い通りに動かされてるんだとしたら……」

「グインのおもわくどおりに動かされるのは、ヤンダル・ゾッグのおもわくどおりに動かされるのとは全然意味が違うと思うし、それに、そのこと自体に——だれかにおもわくどおりに動かされることに反発してしまって、それでそうでないように動くというのはばかげたことだよ。もしかしたら、そのあいては、ちょっとひねったやつならそのあなたの反発そのものをだってあらかじめ読んで、反発してこうなるように、というところまで仕掛けてあるかもしれないからね」

「なんて、めんどくせえとこなんだ、パロだの、中原ていうのは！」

イシュトヴァーンは力をこめて云った。ナリスは笑っただけだった。

「さあ、でも、もう私はやすんでかまわないかな。かなり、力が尽きてしまったようなのでね——もうじき、グインに会わせてくれるのだろう？　それだけを楽しみに、とりあえず私はなんとか体力を取り戻さなくてはと思っているんだよ。イシュトヴァーン」

4

奇妙な緊張が、なおもかなりの距離をおいて対峙したままの両軍――ケイロニア‐神聖パロ連合軍と、そしてゴーラ軍とのあいだにたちこめていた。

それはもう、殺気でもなく、闘気、でもなかったのだが、しかし、どうやら休戦の運びとなって、ほっと緊張がほどけた、というようすは、どちらにせよ両軍ともになかった。

ゴーラ軍にとっては、それは無理からぬことであった。ここは、たとえいったん戦闘がやまったとはいいながら、敵地のまっただなかであるに何の違いもなかったし――食料や医薬品の差し入れをして敵に塩を送る寛大きわまるところをみせたといいながら、いざケイロニア軍がぬっとその巨体をおこせば、もうたちどころにゴーラ軍の退路はふさがれ、ゴーラ軍は進退窮まるしかないのだ、ということはよくわかっていたのだから。

その上に、イシュトヴァーンから、隊長以上のものを集めてのきわめて重大な発表として、ゴーラの国表、イシュタールからカメロン宰相の使者が到着したこと――むろん、それがどのようにして到着した、などという話はイシュトヴァーンはまったく口にもしなかったし、ワン・エンにもかたくこの件は口止めされていた——その使者がもたらした知らせは、「アムネリス大公逝去、ゴーラ王に王太子誕生」という悲喜こもごものものであったことが伝えられたのだ。イシュトヴァーンはひそかに、モンゴールあがりの部隊をまったく今回の遠征に連れてこなかったことは天の助けだと思っていたが、まさしくそうに違いなかった。

ゴーラ軍の兵士たちにとっては、イシュトヴァーンはかねがねずっと訓練をうけ、また遠征の苦しい長旅をともにしてきた身近な英雄であったが、アムネリス王妃はいろいろなうわさにつつまれた、よくわからない人物であった。それに、旧ユラニア出身者の多い遠征部隊のなかには、アムネリスがイシュトヴァーンの王妃となったいきさつについてもそれほど詳しく知るものもいなかったし、むろん、旧モンゴール大公国に思い入れする理由もなかった。

それで、その知らせはごく一般的な意味——ゴーラ王が、遠征中に愛する王妃を産褥で若くして失うという悲劇と、かわりに待望の王子をさずかるという神の慰めを得たこと——というきわめてよくある重大事件として伝えられた。むろんイシュトヴァーンとアムネリスの確執などについても、知っているのはマルコだの、ごくごく身近な近習でしかなかったが、マルコがそんなよけいなことをしゃべるおそれはまずありえなかったし、マルコは聡明で、ちゃんと近習たちにも口どめはしてあった。それゆえ、遠征軍の兵士たちの同情はごく直接的に、単純に、旅先で妻を失う悲報に接したイシュトヴァーンに集まったのであった。

「ついては、もはやここにとどまる余地なく、イシュタールの動揺、旧モンゴールの乱れなども気にかかる。俺は極力早く、イシュタールに戻らなくてはならなくなった」

このイシュトヴァーンの言い分についても、まったく異議を申し立てるものはいなかった——それこそまた、かれら、ゴーラの遠征軍自身にとっても、願ってもないことだったからである。

それで、かれらは、本当はマルガの神聖パロ軍を援軍にきたはずが、なぜ途中からマルガを攻略し、神聖パロの国王を人質にとって神聖パロ軍とケイロニア軍の連合軍と戦うことになったのか、それがなぜ、急激にまたこうして和平が締結されることになったのか、というようなことについては、一切、極力ふれずにすませようということになったのであった。イシュトヴァーンの癇癪や怒りも恐ろしかったが、それ以上に、ここで万一にもイシュトヴァーンに異をたて、それにイシュトヴァーンが感じるところがあって、「では、あえて帰国の途につくのをのばして、おのれのなすべきことをまっとうしよう」などという気持になられたら、困るのはゴーラ軍の兵士たち自身だったからである。

かれらはもう、けっこう長引いているこの遠征にうんざりしきって、帰心矢の如きありさまであった。それでもイシュトヴァーンがしっかりとたがをしめつけていたから、そうした軍勢にありがちな自己崩壊の危機などはよほど少なくてすんでいたのだが、内心では、これ以上遠征が長引くようならば脱走してでも郷里をめざしたい——と考えているものがいなかったとはいいきれない。その上に、これまでのところは連戦連勝で、それの勢いをかってこんなところまでパロ領内に深入りしてきたものの、（あまり深入りしすぎたら帰れなくなってしまう……）ということへのおそれはつねにみな、抱いていたし、しかも、いま現在目の前にたちはだかってきたケイロニア軍に、手痛い敗北を喫してみると、もういかなる意味でも、ゴーラ軍の兵士たちは、こんなところに一刻もとどまりたくない、というのが本音中の本音だったのだ。

それゆえ、イシュトヴァーンの、帰国宣言は、待ちかねた吉報——という、万雷の拍手と歓呼の声でもって迎えられたのであった。イシュトヴァーンによけいなことをいって苛々させようなどと思うものはただのひとりもいなかった。隊長たちは誰もが、イシュトヴァーンの悲運をいたむことばを殊勝にのべ、同時に複雑なおももちで王子誕生のお祝いをのべ、そして、帰国への途につくことへの賛意を表明した。隊長たちがそれぞれの隊に戻って、兵士たちにこの旨を伝達すると、こんどはゴーラ軍の陣営全体が割れんばかりの喝采と歓呼と、「ゴーラ万歳。イシュトヴァーン王万歳」の声に包まれ、草原をへだてて対峙する神聖パロとケイロニアの陣営の兵士たちに思わず顔を見合わせさせたのであった。

「だが、だからといってただちに、こちらのはじめた戦争をこちらの都合でもうやめました、だから通してくださいといって通れるってもんじゃねえのは、わかるな？」

イシュトヴァーンは、隊長たちにそのように云ったのだった。

「ともかく、まずは、なんとしてでも、あっちの軍勢が得心のゆくようなかたちで兵をひいて貰わなくちゃならねえ。だが、大丈夫だ。ケイロニアのグイン王はこれ以上戦うのは無駄だといってるし、あとはただ、条約を締結すればいいだけだ。そのために少し時間がいる——それもなるべく早くするつもりだがな。だから、お前たちは、しばらくのあいだ、ここに逗留することになるが、どうでも動けるようにして待ってろ。一応、何があってもかまわねえよう、完全に気をゆるめたりするんじゃねえぞ。一応見張りも歩哨もちゃんとたて、戦闘用意も完全にといてしまうんじゃねえ。だが、とにかく、なるべく早く話しをつけるから、それをおとなしく待っててくれれば——なるべく早くくにに帰れるんだ」

「くにに帰れる……」

三万をはるかに割ってしまったゴーラの将兵の耳に、これほど甘美に響いたことばは、ほかにありえなかったであろう。

かれらはみな、すでに心はイシュタールに、そこからさらにアルセイスに、またその周辺の町々にとんでいるようであった。いわれたとおり、かれらはおとなしく和平の成るのを待つかまえになったが、そのあいだも、すでにそわそわと浮き足だっているように落ち着かなかった。

ゴーラ軍がそんなわけで、妙にざわめきたっているのは、当然といえば当然であったのだが、ケイロニア軍と神聖パロ軍の陣営のなかに、ある種のはりつめた空気が流れていたのは、奇妙なことであった。が、それも当然であったのかもしれぬ——すでに、リンダ王妃と、神聖パロのヴァレリウス宰相、そしてサラミス公ボースなどの神聖パロ軍幹部と、そしてケイロニア王グインとのあいだに、激論——とはいわぬまでも、つねにきわめて友好的な関係を保ってきたかれらのあいだにあっては充分に激論、と云いうるような、激しい議論がずっと続けられていたからである。

「私は……たとえどのようなことがあっても、あれだけの被害をマルガにあたえ、卑劣にも体の不自由なナリスを人質にしてこれほどの苦しみを神聖パロのすべての国民にあたえたイシュトヴァーンと手を結び、ともに戦うなど、とても神聖パロの王妃として許すわけにゆかないわ！」

リンダは、最初にヴァレリウスから、グインの和平のもくろみをきかされるなり、かなり激しい口調でただちに言い切った。すっかりこの野戦でよろいかぶと姿の板についいた彼女の美しい紫色の瞳は怒りに燃え上がり、彼女はなかなかに、怒れる牝獅子さながらに見えた。

「いまでさえ――これほど追いつめられて、もうまったく逃げ道さえも失ったいまになってさえ、ナリスを返そうとせぬばかりか、そのナリスの身柄をたてにとって、神聖パロにも、ケイロニアにもうわてに出ようとしているゴーラ王なのよ！　それを、いうなりになっていたら、彼はいくさとはどのような手段でも、奇襲をかけて裏切ろうと人質をとろうとどれほど卑劣な方法をとろうと、とにかく最終的におのれの思い通りにさえなれば勝利できるもの、といっそう固く信じ込むようになるわ。そんなことはできない。それだけは、私は神聖パロの王妃として、また国王アルド・ナリスの不在のあいだ神聖パロの国政をあずかる最高責任者として、許すわけにゆかない。そのような王にひきいられた国家が存在すること自体、私は認めるわけにゆかない！」

リンダは、もともとかなり活発なほうではあったが、分をわきまえ、貴婦人らしくふるまうことをもちゃんと知っている女性であったので、国政や、外交、またましてや軍事のことに王妃の身で口出しをするようなことは、これまで極力避けていた。それだけに、同席したサラミス公ボースも、ヴァレリウス宰相自身も、意見や思いはまったく同じではあっても、ついぞみたこともないようなリンダ王妃の激昂と、その激しい意見とに、息をのむようすであった。

「それがもしも、ナリスを救うためというのであれば、私はすべてをあきらめて土下座でもなんでもしなくてはならないかもしれない。私個人としては私はどのようなことでもするでしょう！　私にとってはナリスはただひとりの愛する夫、この世の何ものにもかけがえのないひとなのだから。でも、神聖パロの王妃、そして国王代理としては、そうとばかりいっているわけにはゆきません。私は、ナリスを守るためにいのちをおとした国民たちの忠義、その遺族たちの悲しみとなげき、そしてマルガの惨状について考えないわけにはゆかない。ここでもしも私が、神聖パロとゴーラとの和平に了承したら、神聖パロは国王代理としての私にいきどおり、愛想をつかし、見放してしまうに違いない。私——私は、これまで、国政についても、この内乱のなりゆきについても、ひたすらよき妻として夫ナリスについてゆくことだけを考え、ナリスのしたいようにさせてあげることだけを考え——内助の功を守り、そしてナリスの不自由なからだを補佐することだけを考えてきました。それが間違っていたとは思わない、いまでもその信念にはかわりはないわ。私は、国王ではなく王妃なのだ、という——だから、私がよけいなことをいうのはとてもいけないことだという思いは変わらない。でもいまの私は……国政の責任者であり、国王の代行者として……そのままではいけないのだと思うわ。私にも私の考えがあり、そしてそれはつねに国民たちの——このおぼつかぬ反乱を信じてついてきてくれた愛しい国民たちのことだけを優先して考えるものでなくては……」

「…………」

ヴァレリウスは、何もいわぬ。

というよりも、ヴァレリウス自身がまず、誰よりもまったくリンダと同じ考えでいるのだ、ということは、誰の目にも明らかだった。

「なぜ、黙っているの、グイン」

リンダは、日頃むけたこともないような険しい目を、悠揚迫らぬようすで座っているケイロニア王にむけた。

「私が女子供のように——あなたから見たらそうには違いないのかもしれないけれども、でも、私がそうして、感情を爆発させるだけしてしまえば、それで気が済んで、あなたの意見に従うだろうと考えているのだとしたら、それは間違いよ。私はいま、女子供としてではなくて、神聖パロの王妃であり、国王代理でもあり、そして大パロの第一王位継承権者でもある人間として話しているのですから。——そのことだけはどうかわかっていただきたいわ。女子供の感傷的な感情論だと思って高みから笑いとばすのではなく」

「俺は、お前のことを女子供だなどと考えたことはない」

グインは重々しく答えた。リンダはくちびるをかんだ。

「あなたはあまりにもたくさんの恩恵を私たちに下さった。それゆえ、あなたのいうことばは私たちにとってはあまりにも、盤石の重みを持っているわ。それも、あなたの偉大さもすべて承知の上で言わせてもらうけれども——でも、それでも、私は……私の国民たちのために云わなくてはならない。ゴーラと結び、ゴーラ王イシュトヴァーンの遠征軍の力をかりることは、たとえそれによってこの内乱が成功し、クリスタルを奪還することができるそれが唯一の方法だとしてさえも、私は認めるわけにはゆきません。そんなことをしたら私は、あえなく彼のためにいのちを落としたカラヴィアのラン将軍にも、お怪我がもとで息を引き取られたダルカン聖騎士侯にも、勇敢なカレニア伯ローリウスご兄弟の墓前にも、二度とあわせる顔がない、申し訳がたたないわ。それ以前に私は自分を許すことができないでしょう。イシュトヴァーンのあのマルガ奇襲はあまりにも卑劣だった。そして、いまなおそのいたでは続いているし、マルガはその苦しみからまったく回復していない。そして、私の夫は彼の手におちて、いまなお彼の手中で呻吟しているというのに、そのような……そんなことを、私が——」

「お前のいうのはもっともだとも思うし、お前がそのように考えないとしたらむしろ、それこそが驚くべきことだ、とも俺は思うだろう」

またしても、重々しく、グインは答えた。

「それは一国をひきいるものとしてあまりにも当然の感覚だし、それがなくてはまがりなりにも国王どころか、王妃とさえ名乗れたものではないだろう。国の民のいたみをおのがいたみとし、民の苦しみをおのが苦しみとし——その思いがなくては、かなわぬところだ。だが、な、リンダ」

「中原の大義」

リンダはなめらかなバラ色の頬をひきつらせた。

「あなたがさっきからおっしゃっている、中原の大義、それもわかることはわかります。でも、それはあなたにとっての、ケイロニアにとっての、そして中原にとっての大義にしかすぎない——それの前に、マルガの正義が、神聖パロの正義が、そしてナリスの苦しみが押しつぶされていいという理由にはならない。それでは私が納得できないわ。どうなの、ヴァレリウス。あなたもなんとかおっしゃい」

「私は……私は……」

ヴァレリウスは口ごもった。

すでに彼のほうは、グインから直接にもっと強く、中原を救うため、キタイの脅威から中原を守るために、どうあってもおのれ個人、神聖パロひとつのこだわりを捨てるべきだ、と説得されたあとであった。だが、ヴァレリウスの内心をいえば、やはりどうあっても、それは納得のゆかぬものもあれば、また、リンダのいうことのほうにはるかに説得力を感じるものもあっただろう。まして、いまなお、大切な神聖パロ王アルド・ナリスはイシュトヴァーンの陣中にとらわれたままであるのだ。ヴァレリウスの返答は、はなはだ歯切れの悪いものになった。

「私は――グイン陛下のおおせになる中原の未来のことも……キタイの脅威についても、理解はしておるつもりです。しかし、それとこれとは……」

「それとこれとは別よ。そのとおりだわ」

リンダは叩きつけるように、

「それではもしもイシュトヴァーンが、ナリスを返すことに合意しない、だがレムス軍とは、こちらの軍とともに戦うのに同意する、というような返答をかえしてきた場合にはどうなさるつもりなの。グイン――私はうかがいたいわ。あなたは、ナリスを――私の夫であり、神聖パロの初代国王であるアルド・ナリスを、中原の未来のために、見殺しになさるおつもり」

「陛下」

小さな声でヴァレリウスがささやいた。リンダはそれをふりはらうように、ヴァレリウスをにらみつけた。

「いいえ、言わせてもらうわ。私がナリスのことで逆上している、といわれてもかまわない、夫の身の安全のために妻が逆上して、何のおかしなことがあって。――私は、ナリスを救い出したい、いますぐにでもナリスを返してほしい、安全で、そして安楽な場所にあの、からだの不自由な、勇敢な、そしてとても弱り果てているひとをひきとらせてもらい、早急に手当して、なんとかして回復できるようにつとめる——私が思っているのはただそのことばかりよ。それをなんといってなじられてもしかたがないわ——でももう、すでに遅すぎるほど時間がたってしまっている。その上にナリスはこんなところまで引っ張り回されて——いかに馬車が多少設備がよかったとしたところで、あのひとのからだには振動が一番悪いのはもう、うごかしがたい事実だわ。せっかく多少もちなおしかけていたからだも、今度のことでまたひどい打撃をこうむるでしょう——それをもしさらにそのまま放置しておくのだとしたら、それこそ、あなたたちはみんなして、ナリスを殺そうとたくらんでいるのだ、と云われてもしかたがないわ」

「陛下」

ヴァレリウスは苦しそうにいった。

「それは、いかに陛下のおことばといえども——わたくしは以前、魔道をもってナリスさまをお救いするのは可能である、とナリスさまに申し上げました。だが、アル・ジェニウスはおんみずから、おのれひとりが救出されてほかの国民を苦難にさらすわけにはゆかぬ、国王とはおのれの身でむしろ国民のいのちをあがなうものなのだ、とおおせになって、その私の申し出を拒まれました。——それをも、私が——こともあろうに私がその……陛下のお身をあやうくするのに片棒をかついでいることだというようにおおせられましては……」

「あなたのことをいってるわけじゃないくらい、わかっているでしょうに、ヴァレリウス」

リンダは目を怒らせてグインをにらみつけた。

「こういうときって、あなたのその泰然自若ぶりが——日頃とても頼もしく思えるその悠然たる態度ほど、無性に腹立たしく思えるものはないわね。このひとにはひとの気持はわからないのだろうか——所詮、なんといっても通じないのだろうか、このひとには、ナリスはただの符号にすぎず——私にとってのように、生きた、大切な、どれほどの犠牲をはらってでも生きていてほしい愛するひとである、ということなどはわからないのだろうか、という気持になってくるわ」

「陛下、陛下……」

「確かにあなたのおかげでいま、こうしてゴーラ軍はにっちもさっちもゆかないところに追い込まれているわ。それはすべてあなたのおかげなのは認めるわ。でも、もしそのおかげであちら側がいっそう、あとはただナリスを人質として活用する以外には生きのびる道がないと知って、いっそうナリスのことを引っ張りまわしてしまうとしたら……」

リンダは思わず、耐え難くなったようにおのれの顔を両手でおおった。

「あなたはどう責任をとって下さるおつもりなの。あの人は、あんなからだなのよ……

もしも万一にも、この無理のせいで、あの人になにかあったら――あのからだに、この上負担をかけて、そして……」

「リンダ」

じっと、グインは黙ったままリンダの言い分をきいていた。

それからおもむろに、なだめるように口をひらいたが、ことばの内容のほうは、およそなだめるのとはほど遠かった。

「お前はつねに、女性としては非常に勇敢でもあれば胆力もあり、また行動力もある、立派な女王だと俺は敬意をもって遇してきたのだが、いまのそのことばをきいている限りでは、女王としての思いと、アルド・ナリスどのの妻としての思い、そのふたつが、お前のなかであまりにも混乱してしまっているとしか思えんな」

「な………」

リンダは思わず、口に手をあてた。

「なんですって」

「お前は神聖パロの国王代理、女王でありナリスどのに何かあれば王位をつぐ次期の支配者として話しているのか、それともナリスどのをこの世のなにものよりも愛する妻として語っているのか、それがどうも混乱してしまっていて、途中から自分でも、何をしたいのかわけがわからなくなっているように思える。――俺は、ナリスどのを釈放させる話と、それからイシュトヴァーンのひきいるゴーラ軍を神聖パロから撤退させること、同時にさらに積極的に、レムス軍にあたるため共闘させる話とは、それぞれ別ものと考え、しっかりと頭のなかで分けておかなくてはならぬと考えるのだが」

「………」

「それにもうひとつある。お前のそのことばをきいているかぎりでは、アルド・ナリスという人間はまるで、いま現在ではイシュトヴァーンの手中に落ちてなすすべもない、ただの人形のような人質にしかすぎない、というように思われる。——だが、じっさいにはヴァレリウスのいうとおり、ナリスどのは、自らの意志で、魔道で救出されることを拒み、またその前に、人質になったこと自体が、俺のきいている限りでは、おのれの身柄と命を武器としてマルガの市民の虐殺を阻止した、という、きわめて勇気ある、また国王としてたいへんにけみすべき行動をとっておられると俺には思える。俺からみれば、たとえイシュトヴァーンの手中にあろうとも、ナリスどのは充分に、神聖パロの国王としての責務を全うしておられるように思えるのだが」

「ま………」

思わずリンダは息をのんだ。グインは続けた。

「失礼ながら、むろん国王代理としての重責はあろうが、いま現在、お前のとっている行動、というか主張はあまりにも個人的な感情と、推測での国民の感情の代弁が入り交じったものでしかない。そのかぎりではやはり、気の毒だが女子供のいいぐさとしか俺には思えない。――俺は、ともかくも、お前をもヴァレリウスをも納得させるためにも、イシュトヴァーンのではなく、ナリスどのの意志を確認すべきだと思う」

「なんですって……」

「云ったとおりの意味だ。俺はナリスどのに会わせてくれるよう、イシュトヴァーンに申し入れた。イシュトヴァーンはそれを了承している。この件、ゴーラとの共闘がなるかどうか、については、いやしくも神聖パロの国王であり、最高責任者でもあるナリスどのに一任してはどうだろうな」

第三話　ヤーンの時の時

1

準備万端が整った、という知らせを受け、護衛のイシュトヴァーン親衛隊の人数にぎっしりと厳重に警護されて、神聖パロ国王アルド・ナリスを乗せた御座馬車が、ゴーラ軍の陣営を出発したのは、その翌日の昼過ぎであった。

それはナリスにとってはきわめて――あまりにも重要な事態を意味していた。つまりは、それは、ナリスをグインと会見させるために、馬車のなかでするわけにもゆかぬ、というゴーラ王の事情ゆえであったからである。

「なんだか、私は、まるで子供が祭の朝にそわそわしているみたいなふるまいをしているような気がするな」

その朝があけて、ナリスはたかぶる胸のうちをおさえかねたようにカイにもらしたが、一見するかぎりでは、その前夜も、その朝も、ナリスのようすは、ひどく疲れて衰弱しているようすではあったが落ち着いていて、傍目からでは、その内心にまきおこっている驚くべき大嵐を物語るものは何もありはしなかった。

だが、かたわらにずっともう長いこと、それこそ分身でもあるかのようにつきしたがっているカイにとっては、ナリスのごくわずかな一顰一笑もすでにたなごころをさすようにナリスの内心を示している。ナリスがひどく興奮し、だがそれをおもてに出すまいとしてじっとおのれを平静に保とうとしていることは、カイにはすぐわかった。

イシュトヴァーンとの会見のあと、ナリスの容態はいささか悪化して、それもあって神聖パロの人質のあいだから——ことに主治医のモース医師から、ナリスの身の安静のために、馬車の寝泊まりは極力避けてほしい、たとえ一日であろうとも、寝心地のいい安定したベッドにナリスを移動させてほしい、というつよい要望が出されていたのだが、はからずも、それはそのような事情でかなったのであった。ナリスもしかし、長年ずっと待ち望みつづけてきたグインとの会見が実現する、と知ったときから、つとめておのれの体力を取り戻そうと、普段よりもずっと頑張って食事をとろうとつとめ、また、モース医師のことばをきいて、薬をのみ、必死にそのそこなわれた健康のなかでかなうかぎりの元気をたくわえようとしていた。

「グインどのに会って、それで、私の体力のためにそうそうに引き下がりでもせねばならなくなったら、私としてはそれこそ憤死してもおさまらぬほど、無念でどうにもならぬだろうからね」

ナリスはおのれを笑うようにカイにもらした。

「何があろうと、さいごまで、ちゃんと体力を持たせて——それはもう、前もってモース先生にもお願いしておいたが、よほどのことがない限りは、そのあとどうなってもかまわぬから、私の健康のために、会見を手短かに切り上げよ、などという助言はしないでほしいとね。——私にとっては、もう、これは私の生涯さいごの野望にひとしいのだから……これがすめば、私のいのちなど、もういつ燃え尽きてもかまいはしないよ」

「何をおっしゃいますか」

カイは不安そうに、怒ったように云った。事実、いまではナリスのかたわらにもっとも近くいる側近であるカイとヨナの二人は、この会見を、ひそかに恐れていたのであった。それは、確かに、歴史的なすばらしい事件であったには違いないが、いまのナリスの弱ったからだ、むしろよくぞ生きながらえていると感心されそうな状態にとっては、あまりにも刺激が強すぎて、それこそ、そのような話が出ただけでさえたかぶりすぎて発熱してしまうようなありさまだというのに、その夢が実現してしまったらこの人はどうなってしまうのだろう、というおそれを、どうしてもかれらだけは感じないわけにはゆかなかったのだ。ことにヨナは、ひどく心配していた。

「カイにおおせになったような、そのようなことばかりおっしゃるようでしたら、わたくしの一存で、たとえどれほどナリスさまにお恨みをかったとしても、ナリスさまをケイロニア王にお会わせするわけにはゆかなくなってしまいますよ」

ヨナはやんわりとおどした。

「ナリスさまにとってはどれほどグイン王にお会いになるのが重大であったとしても、われらにとってはナリスさまのご無事、ご健康こそが何よりも大事なのでございますから。……お目のほうは、おかげんはいかがでございますか」

「最近、少しだけいいようだよ」

ナリスは苦笑いした。

「まあ、それも私にはまるで——ヤーンのさいごの寛大なはからい、お前にはいろいろときびしい運命をふりかけたゆえ、さいごのさいごに、あれほど望んでいたグインをその目で直接見ることだけはゆるしてやろう、という、その慈悲のはからいのように感じられてしまうのだけれどね、でもそんなことをいうと、またお前にいやがられて、怒られてしまうのだろうな」

「そうですとも」

ぶっきらぼうにヨナは答えた。

「ヴァレリウスさまとはご連絡をおとりになりましたか。ヴァレリウスさまだって、そのようなおことばをきかれたら、ヨナとたぶん同じことをおおせになりますよ」

「まったく同じことをいって怒っていたよ。どうしてあなたはそのようにしかものごとを考えられないのか、といってね。――でも、本当なのだからしかたがない。私は……そう、このところずいぶん目の具合がよくて、まあ、モース先生のいうところではこの私の目のほうは全身の衰弱もあるが、特に、栄養の極端な不足からきているので、手遅れにならないうちにちゃんと栄養をとればこれ以上ひどくはならないだろうし、この上どんどん、ものが食べられなくなってゆけば、完全に失明してしまうことだってありうるだろうという――それはちょっと困ると思ったので、それもあって、私はモース先生のいうとおり、野菜だの、嫌いな動物の内臓だの、モース先生の調合してくださる苦いまずい薬だの、なんでも一生懸命食べるようにつとめていたんだよ。……あの、きびしいマルガ攻防戦とその後の人質生活のなかで、本当にマルガ市民に申し訳ないとは思ったのだけれどもね。私だけ、そのように贅沢をして、肉などを口にして」

「何をおっしゃいますか。ナリスさまは、神聖パロの帝王でいらっしゃるのですから」

「だからこそだよ、ヨナ。私は帝王というものは、人民ともっとも苦楽をともにするものだと思っているからね。だから、みなが食べるものも食べられず、わずかなたくわえた食料さえゴーラ軍のあらくれた兵士どもに奪われて飢え死にしかけているというのに、私ひとりがそんな、肉だの内臓だの、滋養のあるスープだの卵だのを口にするなど、ひどく苦痛で、のどをとおらないような気持がしていたのだけれどもね」

「とんでもない。ナリスさまに何かあったら、そのときこそ、どれほどわれわれ神聖パロの人民が心をいため、嘆くことかとはおぼしめされませんか」

「そう、おのれにいいきかせて、それで飲み下しにくいのを必死に口にしていたのだけれどね。さいわいにして、それがまだ、効を奏してくれる段階であったらしい」

ナリスは微笑んだ。

「そのへんの、なんでもいいから文字をこちらに見せてごらん。ヨナ」

「はい、ではこれは……」

「読めるよ」

ナリスはまた微笑した。

「ほう、ヨナはいま、ミロクの聖典を読んでいるのだね。——それもいずれ、読んでみたいと思いながらなかなか、このような転戦につぐ転戦の日々で果たさずにいた。もしも世の中が落ち着いて、そんなことの可能なときがきたら、私も一度、ミロクの教えにふれてみたいものだと思うよ」

「ああ」

ヨナはひっそりと口もとをゆるめた。

「そのようなことをされずとも——わたくしには、ナリスさまが本当にどのくらいお目の加減がお悪いのかくらい、すぐわかりますものを。……本当に、このところはかなりよくなられているようで――少なくとも、あの一番ひどかったときに比べれば、ずいぶんとよくなられているようで……ほっとしております」

「ああ、でも、夜になってあかりが暗いと、ほとんど何も見えないのだけれどもね。これもモース先生のいうところでは、長年の栄養失調のたまものだそうだが」

「あまりに、ものを召し上がりませんから……上がると気持悪くおなりになるといわれて、本当に小鳥ほども召し上がらぬのが続きましたし……」

「お前にそういわれるとはね！　お前だって、決してひとにその食欲を誇れるほうではないと思うが」

「それでも、私は、ひとなみにはいただいているつもりでございますから」

ヨナはまた、微笑みながら口答えした。

「でも、とにかく、いまからでも、ナリスさまが、ちゃんと召し上がるお気持ちになって下さって、嬉しゅうございますよ。ヴァレリウスさまは、会見には、同席されそうですか？」

「いや」

ナリスはかぶりをふった。グインと会える、という、その見通しが、ナリスにずいぶんと力を与えているらしく、マルガ攻防以来ずっと気を張りつめてもいるのだろうが、このところは、ナリスは、決してこれまでの最低の状態というわけではない、という感じを見る者に与えた。

「イシュトヴァーンのほうから、グイン王はごくわずかな供回りのみを連れて、ほとんど単身に近い状態でゴーラ陣中の指定の場所にやってくるように、という強硬な指定があり、かつ、リンダとヴァレリウスからは、どうしても自分たちも連れていってくれという申し出はくりかえしたのだけれども、リンダについてはグインがきっぱりと突っぱねた——そしてまた、そのときのグインのことばをきいていたら、ヴァレリウスもそれ以上はどうしても主張できなくなった、ということだったよ」

「とは……」

「グインは、まさかそういうことはないと思うが、おのれと、リンダとヴァレリウス、つまりはケイロニア-神聖パロ連合軍の司令官全員が、そうしてまったく護衛の軍をつれない状態でゴーラの陣中深くわけいって、万一のことがあったらどうする、と強くいったようだ。自分ひとりであれば、たとえゴーラ軍の手に落ちるようなことがあろうとももべつだん心配はない、おのれはどのようなところからでも切り抜けて戻れる、ヴァレリウスも魔道師ゆえあるていどは安全だろう、だがリンダがいては、どうしようもない、とね。——たいへんな自信だが、しかしあの人はキタイから単身、魔道師に幽閉されていたケイロニアのシルヴィア皇女を救出して無事帰国し、また、クリスタルから幽閉されていたリンダを救出してくれた。それほどの実績があれば、そのように自信をもつのも、無理はないだろうな。いまのゴーラ軍など、グインからみたら、全員をひとりででも相手できる程度のものに思えてしまうのだろう。まあ、確かに、当代随一の、唯一無二の英雄には間違いない」

「なるほど……でもそれは確かに、警戒なさるにこしたことはございませんね……なにしろ相手はイシュトヴァーンですから」

ヨナは溜息をもらした。

「もう、私も……たぶん、彼の友達である、と名乗ることはないだろうと思います。——それは私にとってはなかなか悲しいことでもあれば、辛いことでもあったのですが、ようやく気持の整理がついて、ふっきることができました。——この陣中にお供しながらも、ずっと、私は、ランの死と、そしてイシュトヴァーンに過去にうけた恩義のことなどを、どうしても考えずにいられなかったので……」

「その意味では、今回もっともつらい板挟みの立場におかれなくてはならなかったのは、あなただからね、ヨナ」

ナリスは優しく云った。

「それは、ずっとわかっていたし、だからひとたびだって、あなたの忠誠を疑ったことも、あなたのイシュトヴァーンへの過去のかかわりを利用しようとしたこともないよ。……それにもう、ヨナもその呪縛からは自由になってもいいと思うよ」

「はい……ナリスさま……」

ヨナはうつむいた。

「だからといって……私はミロク教徒です。ランの復讐のためにイシュトヴァーンの死を願ったり、その手伝いをすることは出来ませんが……でも、ランのことを思うと、いまでも……イシュトヴァーンを正視することさえ耐えられないような気がするのですが……」

「戦争だからね……」

短く、ナリスはつぶやいた。

「戦争なのだから。……しかたないよ。これは戦争だったのだから」

「はい——」

そのようなやりとりがおこなわれた翌日、イシュトヴァーンのほうから、「近在の豪農の家を明け渡させ、借りて宿舎にあてることにしたので、そちらに引き移るように」という命令がきたのだった。いよいよ、グインとの会見が近いのだ、と知って、ナリスはほとんど蒼白になった。

「ああ、どうしようね、ヨナ」

ナリスはうめくようにささやいて、ヨナの手を握り締めた。その細い力ない手はひどく冷たくなっていた。

「本当に、やっぱり、私は……会わないほうがいいのかもしれない。なんだか、あまりに長いあいだ……思い詰めすぎて、本当に実物を目のあたりにしたら、そのまま心臓が張り裂けてしまいそうな気がするよ！　私というのは、こんな人間だったのかな——！」

「ええ」

ヨナはそのナリスのかぼそい手をしっかりと握り締めて、優しくうなづいた。

「こう申し上げては何ですが——そうであられるのだと思います。それに、そのまことのお気持を、そうしてあけすけに出して下さっているほうが、私どももどれほどか気持が楽ですし——ナリスさまのためにどのようなことでも、と心から思うと存じます」

「そうだね」

ナリスは消え入るように笑った。

「そうだね、ヨナ……」

イシュトヴァーンが、あわただしく準備させた宿舎というのは、両軍が陣を張っていたシラン郊外の草原地帯からほど近い、ほんの二十軒ほどの農家がひっそりと身をよせあうようにして集まっている、ヤーナという名の小さな村落のなかの、村長の家だというそのなかでは一番大きな建物であった。

急なこととて、快く貸してくれるようなわけもない。長剣を帯び、槍をもった兵士た

ち の姿をちらつかせて強引に押し切ったものであるのは当然であったが、それでも、おのれの家が歴史的な会見に使われる場所となるのだ、ということは村長にとってもまんざらでもなかったらしく、それなりに急いで手配をし、もっとも上等で広い客用寝室をナリスの室にあてられるよう、一生懸命に飾り付けまでしてくれてあった。

ナリスはゴーラ王親衛隊の精鋭たちに取り囲まれ、モース医師、最近めっきり口数少なく、ひたすらおのれの義務に専念することだけを考えているかのようなリギア、そしてヨナとカイと、ここまで随行を許されてきたわずかな小姓たちとともにその家に入った。そして、ただちにその奥まったしずかな寝室に運び入れられ、そのあたりとしては極上のものであろう寝台に移された。

それなりに、ナリスのからだを考えて、たいへん大きな上等の馬車が用意されていたとはいえ、ずっと馬車に揺られながら、馬車の座席を作りかえた臨時の寝台に身をあずけているのはナリスにとってはかなりの苦痛だったのだ。そうして、ほんものの寝台にゆったりと寝かされ、カイと小姓たちに手足をマッサージしてもらい、きれいに沐浴させてもらうと、ナリスはずいぶんほっとくつろいだようにみえた。あるじの心づかいであたたかな栄養たっぷりのスープだの、ナリスの好物であることがパロ国内じゅうで知れ渡っている熱いカラム水なども用意されていたので、ナリスにとっては、それはひさびさの、心からやすらぐことのできる一夜となった。むろん、近づいてくるグインとの会見のことを考えれば、気持のほうは波立たぬわけにはゆかなかっただろうが、少なくとも、ナリスのからだにとっては、この上馬車の移動が続いていれば、重大な危機も訪れかねないところであった、というのがモース医師の意見だったので、側近たちも本当に胸をなでおろしたのである。

イシュトヴァーンも引き続いて、ナリスにあてがわれたのの次に大きな室をおのれの居室とさだめて移動してきた。どちらにせよ、いかに大きな家とはいえ、このあたりの小さな村の農家でしかなかったのだから、せいぜいが、ぎゅうぎゅうにつめこんでも入れるのは三十人から四十人くらいでしかなかっただろう。それゆえ、イシュトヴァーンは、精選した護衛のみを選んで、村長の邸の周囲を守らせ、ほかのものたちはその周囲に陣を張らせた。ヤン・イン以下の本隊の大半は、わざわざ陣をうつすこともないと、同じ野営の陣地に残されたままであった。

そのあいだにも、グインの陣営とのあいだにしきりと伝令が往復し、そして、ついに、成立した知らせがナリスのもとにもたらされた――「明朝ルアーの二点鐘ごろに、グイン王一行が、こちらに到着して会見となる」と。

さらに一日のびた会見に、しかし、ナリスは、じれたようすもなく承諾した。いまとなっては、ナリスにとっては、一分一秒を争うよりも、むしろ、ちょっとでもこのやっと向上した環境で体調をととのえて、そしていい状態でグインに会う、ということが最高の希望だったのである。ナリスが、馬車からおろされて、寝室に落ち着いてから、だいぶん様子が楽そうになり、体調がよくなったようだ、ときかされて、内心はイシュトヴァーンもいささかほっとしたのであった。

「いっておくが、俺は、同席させてもらうことは承知の上だからな。当然のことだがな」

イシュトヴァーンは、伝令にまかせず、その知らせを直接自分でナリスの室に持ってきたが、いどむような調子で付け加えた。

「あんたらだけにしたらどんな密談をするか知れたもんじゃねえからな。そのことだけははっきりといっておくが、すべての話は俺の目の前でするんだ。わかってるだろうが」

「それは、べつだん、しかたないことだとも、当然だとも思うよ」

ナリスはうけあった。ナリスのおもては一見したかぎりではまた、ずいぶんといつもどおり平静に戻っていた——内面のほどは知れたものではなかったが。そして、イシュトヴァーンのほうも、あれこれの内心のおもわくはおもわくとして、態度のほうはいくぶん——いや、ずいぶんと友好的になっていた。同席することをナリスに告げたときも、ことばは挑戦的だったが、ようすは内心では、以前のように——ナリスに対する感情がだいぶん、もとのように戻ったのがかいまみえるようだった。

「それにとにかく、俺は……本当をいえば、ナリスさまがイシュタールにきてくれたっていいと思ってるんだし――何も、人質としてじゃなくて……もしも、このままマルガで神聖パロ王国のかっこうを維持するのが大変になったら、ゴーラのなかに、前のサウル皇帝領みたいに自分の場所を作って、それを根拠地にして――クリスタルを取り戻すまで、そこにいてくれたって――そのくらいの国力は、いまのゴーラにはあるんだからな。本当に」

「だいぶん、ゴーラが、ひところの疲弊から立ち直ったという話はきいていたよ」

ナリスはおだやかにいった。

「それについてはみんな、イシュトヴァーンどのの手柄だ、とゴーラにかかわりのあるものたちはいっているようだ。その意味では、あなたは、自分がやろうと思いさえすれば、よい王にだってなれるのじゃあないかな。私はずっと、あなたにはそれだけの力があると思っていたし――それに、あとはもう、ごくごくささいなこと――帝王学といったらいいのかな、支配者として、どのように立ち居振る舞ってゆけばいいのかを覚えるとか、それだけのことなのではないかな。……そういえば、はるか昔に、私は、あなたに、帝王学について話したものだったね」

「ああ……」

びくっとして、イシュトヴァーンはいった。

「ケーミで。……あのときのことは、俺は……かたときも忘れたことはなかった」

「私もだよ。イシュトヴァーン——なんだか、本当に、あの日からなんと遠くにきてしまったのだろうね、私たちは……」

「ナリスさま……」

「いまならば、あなたが私のことばの何に動揺して出奔していってしまったのかもわかるし——おのれの想像力のなさや洞察力のなさをくやむほかないが、あのときには、そのことで、ずいぶんと衝撃をうけたものだったよ。私は、なんとなく、会ったばかりだったけれど、あなたはずっと私のかたわらにいてくれるのではないか、というような気がしていたからね」

「あなたが……そんなことを——？」

驚いてイシュトヴァーンは云った。そして、思わずまじまじとナリスを見つめた。

「俺は……なんだか、この世の終わりみたいな気がしてた。……自分があまりにもちっぽけでとるにたらなくて——何も持ってなくて……とにかく、ここにはもういられない、そういう気がして——なんだ、だったら、本当に、べつだん神聖パロなんかどうでもいいから、俺と一緒にイシュタールにきてくれればいいんだ」

「それは、そういうわけにはゆかないよ、イシュトヴァーン。そう、だから、あなたと私のあいだだけのことならば、どんなふうにでもうまくゆきもするし、理解しあうことだってできると思うんだけれどもね。しかし、私たちはもう、そうして個人としてだけ存在しているわけではなくて——おたがいにさまざまな重荷を背負い込み、それぞれの国家などというもの、それにまつわる実にたくさんの人々のおもわくや世論や、国民感情や……伝統だの、歴史だの、過去のあつれきだのというものまで、背負い込んでいるのだからね。考えてみると実に鬱陶しい話だが」

「ああ。そうだよなあ」

イシュトヴァーンは溜息のようにいった。

「そんなもの、みんなうっちゃって——自由になれればって——俺は、トーラスの将軍になったりしてから、ずいぶん、何百回思ったかわからないよ。もうこんなもの、何もかもほっぽらかして逃げていっちまおうかなあ、もう王になることなんかどうでもいいから、たった一人でまたもとの自由な身の傭兵に戻りたいなあって。……何回かはそうしかけたんだけどな——なんか、毎回そのたんびになんかかっか、邪魔が入って——本当は、そうしてたら、一番よかったかもしれないんだけど……」

「私もだよ。イシュトヴァーン」

ナリスは仄かに寂しげな微笑をうかべた。

「私もずっとそんな夢ばかり見ることがあったよ。結局いまとなっては、もう、おのれの身の上どころか、この寝台からさえ自由になることはできなくなってしまったのだけれどね。だが、それももう、それほど悔いてはいないけれどもね。そのおかげで、こうしてグインに会えることになったのだから」

「あんなやつ――」

一瞬、不満そうにイシュトヴァーンは云った。

「確かに偉いやつかもしれねえけど、だけど、だからって一から十までやつの思い通りになんか俺はならねえぞ。俺は誰の思い通りにもならねえんだ。たとえヤーンのだってな。なるもんか。なるもんか、絶対にだ」

2

イシュトヴァーンがどう思っていたにせよ――

そうして、その一夜はなにごとも変事もなく、しずかにふけてゆき、しずかに明けて、そして、いよいよ歴史的な会見のおこなわれるべき一日の夜があけたのだった。

ナリスは起きあがるすべもなかったので、会見はその寝室をそのまま使っておこなわれるしかなかった。

「ケイロニア王グインどののご一行十名が、邸の門前にご到着になりました」

その知らせがもたらされたとき、ナリスは、白い長衣に、肩をひやさぬようストールをまきつけて、背中にクッションをかって楽なように上体をおこし、万全の態勢をととのえて、もう朝早くから待ち受けていたが、さっといくぶん青ざめて、カイの手にとりすがった。何も云わなかったが、その手は氷のように冷たくなっていた。カイは力づけるようにそのナリスの手をさすってやったが、ナリスは、カイにそうされていることさえ、気づいていないように見えた。

「ケイロニア王グイン陛下、神聖パロ王国国王アルド・ナリス陛下とのご会見のため、お屋敷のご門前までお見えでございます」

そのことばをきいた瞬間、ナリスは、まるで雷にうたれたように身をふるわせた。

「ナリスさま」

「大丈夫だよ。大丈夫だよ、ヨナ――私は、落ち着いているから……心配しないで」

ナリスは蒼白になっていた。弱々しく、唇に笑いをうかべて、まるで自嘲するようにかれはつぶやいた。

「なんということだろう――なんだか、私は……できることなら、ここから、この場から一目散に逃げ出してここからこの世でもっとも遠い場所へ逃げていってしまいたいような気がするよ。――怖い。なんということだろう。クリスタル大公アルド・ナリス、神聖パロ国王アルド・ナリスは――おそれているのだ。ばかな……ばかなことを……」

「ナリスさま――」

「こんなに、私は……心弱かったのかな。これほど、もろく、そして……いや、もう……何もいうまい。お通ししてください、ゴーラのお小姓のかた。そして、ケイロニア王グインどのを、このお部屋に」

「かしこまりました」

めったには、というよりも移動のときのごくごくわずかな瞬間などにくらいしか、かいま見ることとさえない、つねにおのれの側近に厳重に守られて人の目から隠されているような、アルド・ナリスのすがたを、こうして目の前でみることはゴーラの小姓のほうにもはじめてのことである。また、ナリスのようすのなかには、もとより、見るものをはっと息をのませるだけのものがある。伝説的なまでの美しさもいまだ衰えはみせていないし、そして、病を得てから、いっそうむしろ、人間離れした神秘性のようなものが身のまわりにまといつくようになっている。きびしいしつけのゆえに、内心を表情にあらわすことはなかったが、ゴーラのうら若い小姓たちの声もいくぶんふるえていた。

「どうしよう」

だが、小姓が出ていって戸がしまったとたんに、ナリスは、あえぎながらヨナの手にとりすがった。

「どうしよう。……ああ、なんだか、いっそしてはならない禁忌をおかそうとしているかのような——そんな気がしてならない。いまにも——死んでしまいそうだ。息が苦しい」

「ナリスさま——」

「グインは、どう思うだろう、私がこんな——」

言いかけたことばが唇の上でとまった。

扉が開き、ずかずかと入ってきたものをみて、それこそほかのものさえ息がとまりそうな顔をしたが、それはグインではなく、イシュトヴァーンにほかならなかった。

「来たぞ、豹のやつが」

イシュトヴァーンは、なんとなく、照れてでもいるかのように乱暴にいった。そして、前もって室のなかに用意させてあったいくつかの椅子のひとつに、どかりと腰をおろした。歴史的な会見のために、村長たちがあわてかきあつめて、客用の椅子をいくつも用意し、また、ふつうの椅子ではとても入らないかもしれぬ、というので、大きなディヴァンも用意してそれぞれの椅子のかたわらにサイドテーブルをおいてあったのである。

ナリスは弱々しく唇だけで微笑んでみせた。

「驚かさないでおくれ、イシュトヴァーン。私はいま、お前が入ってきたとき、心臓が張り裂けて止まってしまいそうになったよ」

「なんだ、あんなやつ」

イシュトヴァーンはちょっと怒ったように唇をとがらせた。

「そりゃ、すごいやつかもしれねえけど、要するにただの豹あたまだぞ。けっこう、あれでいろいろとずるいところもありゃあ、ひょうきんなことも云いやがるし、それに——」

戸があいた。

ナリスはそれこそ、気を失ってしまいそうな顔でヨナにもたれかかった。

「ケイロニア王、グイン陛下、おいででございます」

小姓の声が扉の外からつげた。イシュトヴァーンが、誰も入るな、と言いつけたのである。室のなかには、ナリスの面倒をみるためにヨナとカイ、そして次の間にモース博士と小姓たちがひかえているだけで、ほかには誰も入ってこられぬようにしてあった。グインもまた、むろん邸のおもてには護衛を待たせてあっただろうが、室の中に入ってきたのは、従者ひとり連れぬ単身であった。

グインはゆっくりと、長いマントをひるがえしながらあまり明るくない、このあたりの田舎家特有の様式でうんと天井が高く、床は石の上にじゅうたんをしきつめてある、四隅に太い柱のある大きな室に入ってきた。じゅうたんが、重たい長靴の足音を吸い取っている。グインが室に入ってきた瞬間、ナリスの目は、グインの上にくぎづけになった。

「神聖パロ初代国王、アルド・ナリスどの」

グインは、彼にしてはかなり丁重に、きちんと国王が国王にする礼をして、片膝をつき、胸を手にあてて敬意を表した。

「お初にお目にかかる。これは、ケイロニア獅子心皇帝アキレウス・ケイロニウスの女婿にして、ケイロニア大元帥、ケイロニア王の称号をたまわり、ケイロニア及び中原の鎮守をうけたまわる、グインと申す者。――神聖パロ国王アルド・ナリス陛下に御意を得る機会をたまわり、まことに光栄である」

「グイン……どの――」

ナリスは、うまく口がきけぬようであった。

ヨナも――そして、当然カイも、むろんイシュトヴァーンも、こんなふうに、ナリスが――あれほど口先から先に生まれてきたかのようなアルド・ナリスが絶句するすがたをはじめて見たのであった。ナリスは、グインの重々しい、だがなめらかな挨拶に、同じようにきちんと礼儀正しい挨拶をかえそうと口を開きかけた――だが、何回か、口を開いたが、声までがのどにつまって外に出なくなってしまっているかのようであった。

「グインどの……」

うめくようにナリスは云った。そして、突然、すべてをあきらめて、滂沱たる涙が頬に流れおちてくるにまかせた。

「ナリス陛下――」

「申し訳ない。……許して下さい。このように感情的な反応をしてしまって。いやしくも一国の元首にもあるまじき――いかにおぼつかぬ内乱で成立したあやうい国家とはいえ、かりそめにも国王を名乗りながら」

ナリスは云った。そして、カイがさしのべた手巾にすばやく目もとをぬぐってもらって、微笑もうとしたが、またしても、その目はあらたな涙に濡れた。

「このように――このような態度で、ご不快にさせるつもりはなかったのです。――もっと、ちゃんとふるまえると思っていた。だのに――」

「……」

イシュトヴァーンは、まるで、母親が泣くのをみて不安になっている幼児でもあるかのように、茫然とナリスの涙を見つめている。

グインは、ゆっくりと立ち上がり、ナリスのむかいのディヴァンに腰をおろした。マントをひろげ、ゆっくりと裾をととのえる。ナリスは、涙をぬぐうことも忘れて、茫然と、むさぼるようにそのグインのすがたを見つめた。

「私は、まるで……分別もない子供みたいなふるまいをしている……」

ナリスは、恥ずかしそうに云った。

「でも、ひとつだけ――許していただかなくてはならない。私は……ずっと、あまりに長いこと――あまりにもこの瞬間に憧れ続けていたのでしょう。……そのとき、おのれがいったい何を思うのか、何を感じるのかと――ああ、グイン――グインどの……」

「ああ」

「ひとつだけ、――もう、こうなったら、何もとりつくろうのはあきらめました。――というよりも、あまりにも、感動することが大きすぎて、私には、何もとりつくろうことばひとつ出せそうもない。グインどの、ひとつだけ――お願いをきいていただけませんか。とんでもない——ぶしつけなお願いですが……」

「なんなりと。ナリス陛下」

「私は……私はあまりよく目が見えないのです」

ナリスは感動のあまり、絶え入ってしまいそうな声でいった。イシュトヴァーンがぎくりとしたようにおもてをあげてナリスを見る。イシュトヴァーンの興味は、はるかに、グインよりも多くナリスの言動のほうに寄せられているかに見えた。

「お目が……」

「ええ。まだ、失明するというところまではいっておりません。——が、まあ長年の闘病や不摂生の結果なので、自業自得のようなものですが……暗いと、もののりんかくくらいしか見えない、明るければもうちょっと見えますが——たいへん、弱視になってしまっているのです。これでも以前は、草原のはるかなむこうの梢にいる鳥さえ見えると、つまらぬことを自慢していたものでしたが。——もうちょっと、もう少しだけ……近くに、おいでいただくわけにはゆきませんか。ひとたびだけ——そして、どうか……この手で、あなたの——その……おつむりにふれることを許していただければ……」

「そのようなことならば、べつだん、何も」

グインは笑った。そして、ゆったりと立ち上がり、巨体のわりにおどろくほどなめらかな、振動ひとつ伝えぬ動作で寝台に近寄った。イシュトヴァーンが、けわしい顔でちょっと腰を浮かせる。が、そのまま、難しい顔でまた腰をおとす。

「……」

ナリスは、なんとか身をもっとおこそうとあがいた。あわてて、カイとヨナが両側からささえて、もうちょっと上体をまっすぐにさせた。

グインは、無造作に、その寝台の上にそっと腰をおろした。

「ご免」

短くいって、ナリスのほとんど目の前に、そのたくましい上体を押し出すように座る。ナリスの目が大きく見張られた。

「本当に——」

感極まったような声が、そのくちびるから漏れる。

「本当に——まことに、シレノスだ……どこからどこまで……神話のシレノスそのものだ——グインどの、ご免下さい」

そっと、ナリスの手が、持ち上げられようとあがくのをみて、カイがそれをそっと後ろから支えて持ち上げさせた。ナリスはカイにささえられたまま、ふるえる手をのばした。グインは頭をその手の前にもっていって、ナリスがふれられるようにし、ふれるにまかせた。

「ああ——」

ナリスは、かすかな声でつぶやいた。そして、目をとじ、さらに、まるで幼い盲目の子どものような手つきで、両手でそっと、グインの頭をまさぐった。

「ああ……こうしているほうが……なんだか、かえって——目を開いて見ているよりも、あなたを感じる……」

かよわい、いまにも消えてしまいそうな声がもれた。

「目を開いていると——どれほど驚嘆すべきものを、自分が見ているか……なんだか、あっという間に忘れてしまう——なんだか、ただ単に自分が吟遊詩人のサーガのなかに、本当に入ってしまったにすぎないようで——なんだか、不思議すぎて——実感がすぐ失われてしまう。でも——こうして、こうしていると……ああ——」

ナリスのかぼそい、力ない手が、しずかにグインの頭のかたちをさぐり、耳をまさぐり、鼻面から首にかけてそっとゆるやかになでおろされる。イシュトヴァーンは不安になって、ヨナをつかまえた。

（おい）

声を忍んで囁く。

（どうしたんだよ、ナリスさまは。ご様子が変じゃねえか。もともと、あんなに——目がなにだったのか。こないだはあんなふうには見えなかった——いったい、どうしたんだよ？　あれじゃ、まるで、全然見えてねえみたいじゃねえか？）

「全然、ということはない、とおっしゃっておられます」

ヨナはグインのほうを気にしながら、低く囁き返した。

「それに、確かに、このところ前よりずっとよくおなりです。でも――このあいだ、レムス軍との戦いの中で、佯死の策略をとられて、かなり長いこと機能を停止した状態になっておられてからこっち、ずっと、からだのいろいろな機能がなかなか元通りにお戻りにならないのです。――それでも、本当にずいぶんといろいろもとに戻りつつあるのですが……」

「よう、なんだって?」

いやな顔をしてイシュトヴァーンはきいた。

「佯死。……魔道を使って、擬似の、死んだような状態になさったんですよ……」

「ああ、なんか、そんなことがあったっけな。なんかえらく昔みたいな気がするけど」

イシュトヴァーンは仏頂面でいった。

「そんな、だから、魔道であれこれ変なことするとよくねえってんだ。――でも、目は、見えてるんだろう。そうなんだろ、目は、まだ、ちゃんと見えるんだ」

「見えますよ」

ヨナは低く言い返した。

「だから、静かにしてて下さい。大丈夫ですから」

「なんだよ」

ヨナのこれまでと違う敵意を感じたように、イシュトヴァーンはむっとしたように唇をとがらせたが、それ以上は何も云おうとせず、また自分のかけていた椅子に戻ってどかりと座り込んだ。

グインは、何も云わず、ナリスが気のすむまで、おのれの頭をなで、ふれてみるのにまかせていた。ナリスはやがて、名残惜しげにそっと手をおろし、恥ずかしそうに微笑んだ。

「なんだか——私は、とても……とてもばかなふるまいをしてしまったような気がします……」

「そんなことはない」

優しく、グインがいう。ナリスは、とじていた目をひらき、あらためてグインをじっと見つめた。

「ようやく、あなたがそこにいる、ということの奇跡に馴れてきたような気がする」

ナリスはつぶやくようにいった。

「そして、また……その奇跡に馴れてきてしまっている自分がひどくなさけなく、怖い。——私は、サイロン宮廷の人間でなくてよかった。ケイロニアの人びとは、どうしてこのような奇跡と朝晩ごくふつうに、一緒に暮らしていることに耐えられるのでしょうね。

私にはとても――とても、こんな生ける奇跡を目のあたりにしながら、朝晩、あたりまえに生活してゆけるなどという自信はない。――私は、何か、あなたにとても……失礼なことを申し上げていますか。とても、ご無礼な、ぶしつけなことをいってしまっているでしょうか？　まるで熱にうかされているように、自分が何を口走っているのかわからないような気がしてならない……」

「そんなことはない」

　グインはまた云った。そして、つと手をのばして、ナリスのかぼそい冷たい手をとった。ナリスははっと身をふるわせた。

「俺自身、よくおのれのことを不思議に思う。――これはいったいどういうことなのだろう、これはいった何なのだろうと。――一方では、俺の豹頭、世にまれなこの異形を問題にせず、俺をごく普通の人間として受け入れてくれたケイロニアの人びとが、俺にとって何よりもの慰藉であり、慰安だった。だが、いま、そのナリスどののご様子に接していると、俺は、あらためて、そうだ、おのれが異形の豹頭であったのだと思い出す。――それはだが、俺にとっては不快だったり、いやなことであるわけではない。それはむしろ、俺にはなんだか、俺の本来あったすがたを映し出してくれた鏡のような気がしたりするのだ。――そして思う。……ナリスどのは、俺が思っていたのとはずいぶん違うおかたのようだ」

「私は……？　私のことを、どのような人間だと思っておられたのですか？」

「まあ、いろいろとな」

　というのが、グインの答えであった。

「だが、思っていたのとはまるで違っていられたようだ。なんというか——やはり、直接まみえぬうちは推測でものを決めるものではない。なんというか——ナリスどのは、ずいぶんと、あどけないおかたであるのだな、というのが——俺の印象だった。これまで、俺の頭をみて、目を輝かせ、手でふれてみたい、といったり、ふれてみたものは、みな、幼い子供や——子どもの魂をもつ詩人や、そうした人種ばかりであったからかもしれないがな」

「私は、とても子どもっぽいふるまいをしている。それはもう、よくわかっていますけれど……」

　ナリスは、うっとりと、近々とあるグインの豹頭にあかず見とれながら云った。

「でも、こんな不思議に接して、どうして世の人々が、驚いたり仰天したり、あるいはもっともっと、そのふしぎをとこうとして夢中にならずにいられるのか、それがわからない。……ご存知ですか、グイン、私はさっき、せっかくあなたのご厚意であなたの豹頭にふれさせていただいていながら、ある衝動をこらえるのがとても大変で大変で……なんとか無事に手をはなせたときは、ああ、よかったと心から思ったのですが……それは、この豹頭がほんものなのかどうか、どうしてもこのひげをひっぱってみたい、という、その衝動だったのですよ」

ナリスは弱々しく笑った。グインも笑った。

「べつだん、そうしたところで驚くこともなかっただろう。それはまあ、子どもとしては当然の探求心というものだろうからな。――が、がんぜない幼い子供なのだ、とわかって見ると、ナリスどのが、それほど俺と会うのを楽しみにしていて下さったことというのはよく理解できるし、ナリスどのの持つ世界へのあくことなき好奇心や探求心というのもまことによく理解できる。俺がむしろ驚いているのは、失礼ながらそのようなおからだやそのような身分、また育ちや教育やにもかかわらず、ナリスどのがずっとそのようにあどけない子どものままでおられたことだな」

「たぶん、このようなからだになったり、このような野暮な身分だったり――そのためにとても不自由なことばかりあったからでしょう、グイン。あまりにも何ひとつ、私には許されていなかったので――ただ、夢見ることしかできなかったのですよ」

「ああ」

「そう、だから……私はずっと夢見ていた。……あなたという存在を風のうわさに知ってからこのかた、ずっと……あなたと会うその瞬間のことを夢見ていた。どれほど、驚愕するだろう――どれほど、驚嘆することだろう。もうひとつ、私はノスフェラスにゆきたかったのだが――あなたは、ノスフェラスの王と名乗っておられるという話もきいた。そうでしたね」

「ああ。縁あって、ノスフェラスのセムたちから、その称号をもらえることになった。ノスフェラスは好きだ。俺の心の故郷のようなものだ。――いつかまた、必ず帰ってこようと思っている」

「おお」

ナリスは云った。

それから、また、ややあって、感極まったようにつぶやいた。

「おお。――なんだか、自分がここにいて、こうして――あなたとそういうことばをかわしている、ということそのものが、どうしても信じられない。私は、深い夢のなかにでも、入ってしまったような気がする。二度とさめぬ夢であればいいのだが……」

「……」

「私は……私は思っていた。あなたと私が……出会うとき、私がついにまことの豹頭王とふれあうとき……いったい何がおこるのだろうと。――なんだか、あまりにもありうべからざることで……私は、なんだか、そんなことは決して本当には起こらないのではないだろうか、という気持さえしていた。ついさっき、あなたが本当にこの部屋に歩み入ってきてくださるまで、頭は理解しているのだけれど、どうしても、からだのほうは、それが本当に起こるなど――そんなことが本当に現実に起こるなど、どうしても納得できなくて――ひたすら、心臓が破れそうに高鳴って――」

「ナリスどの……」

「あなたと、本当にあいまみえる、などという瞬間がきたら……」

ナリスはうっとりと目をとじた。そして、夢見ているように、かすかなほほえみをうかべたままつぶやいた。

「あまりのことに、もうそれぎり、このいたんだろくでもない心臓は止まって二度とは動かなくなってしまうのではないか――もう、そこでヤーンの時はとまり、二度とは動き出すこともなく……そう……世界は、ここで、この草原のすみっこの小さな村の朝で終わってしまうのではないかと……そんな気さえして――おかしな話だ。私は……私は、なんだか、あなたと私が会い、そして――私の手があなたにふれたそのせつな――何かが必ず起こるのだと……ほとんど確信していたのですよ……」

「ナリスどの、お加減はどうだ？　だいぶお疲れのようだが」

「疲れてはいません。――ただ、たかぶりとおののきと感動とに――私の心臓がうまく動かなくなっているだけです。目を開くのが怖い……目を開いたらすべては私の夢にすぎなかったとわかってしまいそうだ。これまで何回も、私は夢のなかであなたに会った。――夢のなかで、でも、どうしてもあなたの本当のすがたを想像することができなかった。私は……ああ、なんだか、あなたと私が手をふれあった瞬間に、世界は変わるだろうと――それこそ爆発して消滅してしまうか……何もかもが一瞬にしてとけてしまうような、そんな気持さえしていたのですよ……グイン――豹頭王グイン……」

3

「そのようなことも――」

　グインは重々しくつぶやいた。

「あるいは神話の時代にはあったのかもしれぬな。だが、俺はただの――たとえこのような見かけをしているといえども、ただの人間にすぎぬ。そう思う――たぶんそうであるはずだ。だから、俺は――俺は世界を変えるために、そのような、あなたとふれあった瞬間に爆発させるような力を持たぬ。苦労して、あれこれと考え、長い回り道を通って、変えてゆくほかはないのだ」

「目をとじてきいていれば、本当に、普通の、ごくあたりまえの人間が喋っているとしか思えない」

　ナリスはうっとりと云った。そして、目を開くことをおそれるように、そっと細く目を開いてグインを見つめた。

「だが、目を開くと――ああ、目を開いても、あなたは消滅していなかった。そこにひとりのシレノスがいる——この私が、神話に立ち会っている——その神話の英雄は、私のあこがれの——あのノスフェラスからやってきたのだ。そして、この世の——私の知りたかったことのすべてを知り、あるいはかかわりをもち……この世のすべてを具現している……世界生成の秘密をも、大宇宙の黄金律をも、あなたは……その目で見て、そして、かかわってきたのだ。……なんということだろう。なんという、ありうべからざることだろう——なぜ、あなたのようなひとがこの世界に存在し得たのです？　なぜ——あなたは、そのようにあるのだろう——ふしぎだ。あまりにも不思議で……ことばにつくせない。ヤーンだって——ヤヌスだって……そんな古代の貧しい神々に、こんなことが可能だっただろうか？　なんだかあなたをみていると——そんな、ヤヌス十二神などではなく、もっとはるかに上のほうに位置する、本当の意味で偉大な力ある神々の存在が信じられてくる——」

「……」

「ああ……」

ナリスは疲れきったようにほほえんだ。静かにカイが差し出すカラム水の吸呑みから、ひと口飲んで、のどをうるおし、夢みているようにまた微笑んだ。

「もう、すべては……私はこれで死んでもいい。私の人生は終わった——もう、私は、あとは……あとのことはすべてどうでもいい……」

「何をいってんだ、ナリスさま」

たまりかねたようにするどく口をはさんだのは、それまでなんとなく気圧されて大人しく座っていたイシュトヴァーンだった。

「何をばかなことをいってんだ……あんたたちは、和平の話のために会ったんだろう。そんなことばかりいってないで、いい加減に、その話を……」

「……」

ナリスは、瞬間、まるで生まれてはじめて見たまったく見知らぬおかしなものでも見るように、何の表情もなく、イシュトヴァーンを見つめた。

それから、ようやくそれが誰であるのかを思い出したように、かすかに笑った。

「ああ——そう。そうだったね、イシュトヴァーン」

「時間だって、そんなにあるわけじゃねえんだからな。……そうだろう、グイン」

「ああ」

グインは、ふしぎな表情を浮かべてじっとナリスを見つめていた。イシュトヴァーンのことばに、かろくうなづいてみせたが、その目はなおも、ナリスの上からはなれなかった。

「あなたは、ノスフェラスの白い熱い砂の上をかけてゆく——ノスフェラスの風が、あなたのその豹頭に吹き抜ける……」

歌うように、うっとりとナリスはつぶやいた。

「その光景こそ——私が長いあいだ、幾度となく夢にみたものだったのかもしれない……ああ、グイン、私は——たぶん、生まれてはじめて、本当に、心の底から——自分のことを幸せだと、生まれてきてよかったと思うことができたのだと思う——何ひとつ、まともなことをなしとげ得なかった私のこの人生の中で、ただひとつ——さいごにいたって、このような瞬間を得られたこと……それだけでもう、私は、ヤーンにも——ヤヌスにも、いくたびも帰依し直してすべてを捧げるだろう。……有難う、何もかも——と……」

「ナリスさま」

ふいに、低い、だがするどい声で、ヨナが叫んだ。

「お加減がお悪いのですか。お顔の色が」

「大丈夫だよ。ヨナ」

ナリスはうっすらと微笑んだ。

「私はなんともない。——それどころか、これほどに気分がよかったことは、生まれてこのかたひとたびもないくらいだよ。……ふしぎなことだ。グイン、あなたがそこにいるだけで——あなたのいるところから、何かの熱——それとも力か、オーラのようなものが、ひたひたと私に伝わってくる——ひとの世のつねの生命力ではなくて……もっとずっと遠くからやってくる力……そう、星々から伝わってくる、遠い力——大宇宙の力のみなもとから直接に送り込まれてくる脈動のようなものが……」

「……」

「あなたは、そのような存在だったのですね、グイン——あなたを見ていると、ようやくわかってくる——感じてくる。あなたは、大宇宙そのものをそのうちに持っている存在だと思う……あなたの内包している不思議は、この宇宙そのものの——この世界それ自体がなぜ存在するかというさいごの不思議を、それを——あなたのすがたに象徴したような……そんなもので……そして、あなたには、大宇宙の《気》が備わっている……誰が、あなたに勝てるわけがあるだろう、グイン——大宇宙そのものに勝てるものなど、いるはずがあるだろうか……おお、グイン——あなたに会えてよかった。あなたのような存在が存在するのだということを知ることができてよかった。私は——私は生まれてきてよかった……」

「ナリスさま」

ふたたび、ヨナがさえぎった。

「ナリスさま。——ひどく、お疲れのようです。——いまはもう、ちょっと、お休みにならなくては……それ以上、お気がたかぶられると、おからだが……」

「私を——ここから引き離さないで。ヨナ」

弱い——だが、しっかりとした声で、ナリスは云った。

「グインを私から——見えないところに連れてゆかないで。もう——もうそんなに時間がないのだから……私は、つまらぬくりごとを云っているのじゃない。……私の……かぎりあるいのちの残りすべてをいま使いつくしてもいい……いや、そうしなくてはならない——私は、この瞬間のために、ただひたすら——この《瞬間《とき》》のためにだけ、このようなからだになりながら——生きながらえてきたのだから……」

「ナリスさま……」

ヨナは異様な目で、ナリスを見つめた。

それから、ふいに、軽く会釈するなり、室の外に飛び出していった。はっとしたようにカイがそれを見送ったが、ほかのものはそれを見かえろうとする気配もなかった。

何か、奇妙な——異様な緊張が、室のなかにはりつめてゆきつつあるのを、誰もが感じているようだった。グインの目は、じっと、ナリスの上に凝らされたまま、はなれるようすもない。ほかのものはすべて意味を失ったかのように、グインの目はひたすら、ナリスの青ざめた顔を凝視している。イシュトヴァーンは——イシュトヴァーンは、おのれの存在が、これほどに無視されていたら、いつもならばむっとしたり、何か言い出したりしたに違いないが、ふしぎなくらいしずかに、じっと座ったまま、すべてのようすを見守り続けていた。

「カイ」

ナリスは、かすかな声でいった。

「はい、ナリスさま」

「カラム水を――それから、少しだけ――少しだけ、黒蓮の粉をそれに入れてくれないか……」

「……」

カイは、一瞬、ナリスを見つめた。

それから、黙っていわれたとおりにした。小さな象嵌の箱をあけ、そのなかに入っていた紙包みをひとつとりだして、カラム水の吸呑みをあけ、そのなかにその紙包みのなかに入っていた粉をあけ、そっとかきまぜて、ナリスの唇にあてがった。

ナリスはそれを飲み、ふっと肩で息をついた。

「急がなくてはならない」

ナリスはつぶやいた。

「そう、それでは――やはり、私の思っていたのが、正しかったのだ。……私は、それが嬉しい。――それでは、私の考えていたことも……それほど間違っていたわけではない。私があなたと出会うとき、何かがおこる――それを、私は……あまりにも――思い上がった考えかただろうかと、ずっと思っていた。――それは……グインのことについ

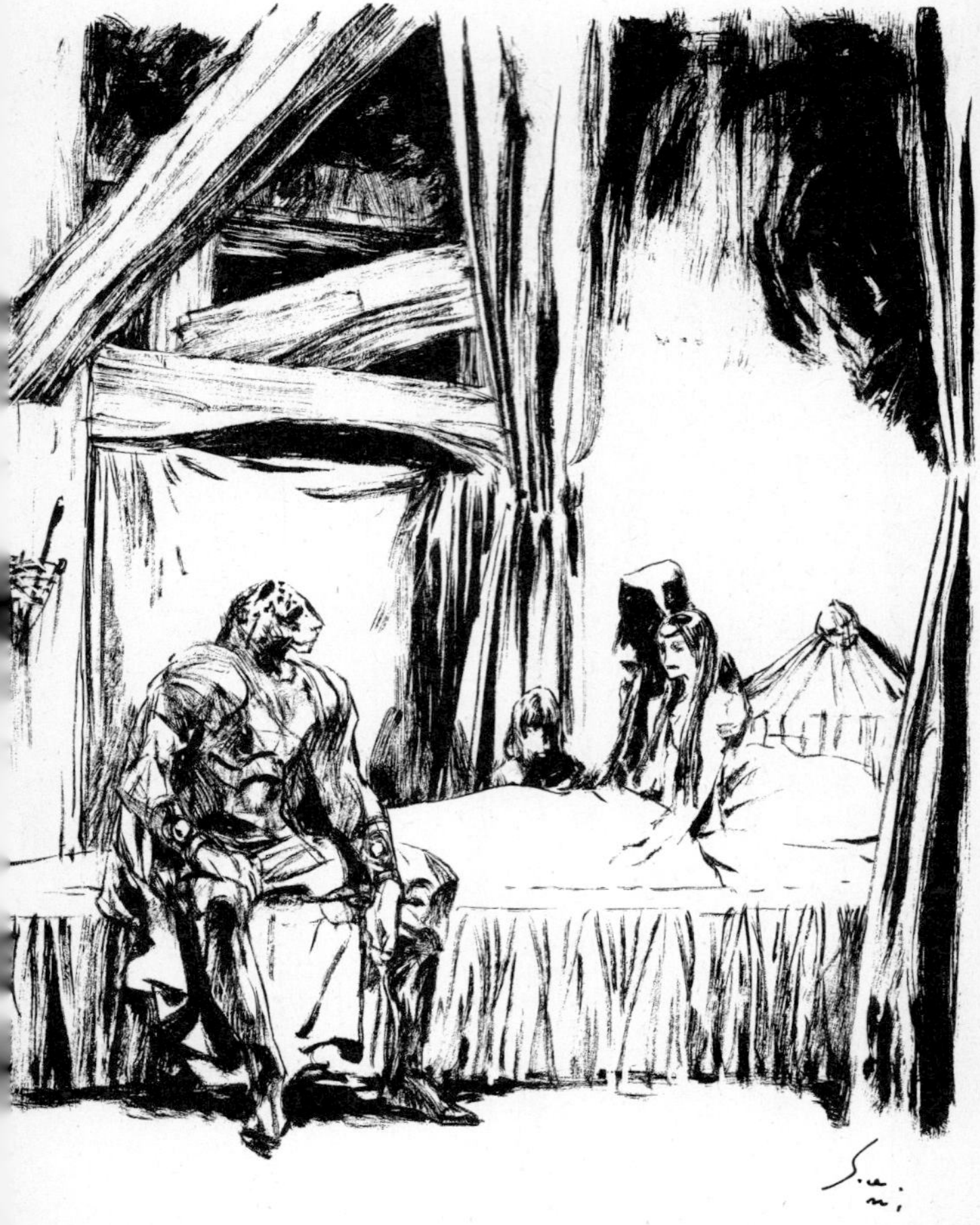

ては、何ひとつ問題はないにせよ――私自身などというものが……そんなふうにして、世界に対して――巨大な意味をもつ存在でありうるのだろうかと……私は、ずっと、わからないままでいた。おのれがなぜ生まれてきて――なぜこのようであるのか――なぜ、こうして、ここに、このようなすがたでよこたわって残りのわずかばかりの一生を過ごすことになったのかを……」

「ナリスどの」

ゆっくりと、グインは、また手をさしのべた。ずっと彼は寝台の端にかけたまま、ナリスのことばに注意深く耳をかたむけ、ナリスを見つめていたのだ。彼は、つと巨大な手をのべて、ナリスの手をとった。ナリスのかぼそい、かつてはあれほど有能でありながら、そのすべての力を奪い去られた手は、グインの巨大なあたたかい手に包み込まれ、みるからにかぼそく、はかなく見えた。

「だいぶ、お疲れなのではないか。――俺ならば、必要のあるかぎりここに逗留もできる。急ぐ必要はないが」

「急ぐ必要は……」

ナリスはかすかな微笑みをみせた。

「私のほうにあるようですよ、グイン。――そう、きっと……私のほうに――もうちょっと、私がこのようなたわごとを――たわごとというよりも……熱にうかされたうわごとをいっていると思われるかもしれないが……きいていて下さい……」

「うわごととも、たわごととも思わぬ」

グインは、静かにいった。

「あなたのいわれることは、俺には、完璧に理解できている――と思う」

「そう……あなたには」

黒蓮の粉が、ナリスに、かなりの元気を与えたようだった。ナリスは、また、そっと首をもたげてグインを見ようとしたが、そこまでの力はなかったので、また頭をもとにもどした。

「そう、私は――ずっと考えていた。自分の一生について――考える時間は、いくらでもあった。私はもう、こうしてここに横たわっているしかない――どこにであれ、とにかく、運ばれたところに横たわっているしかない身の上だったのだから。……でも、いま――私は、それもまたヤーンの深いお考えの末になされたことだったのだ、という気がしているのです、グイン。――私は、あなたのように……神々によって……使者として、使役される使徒として、選ばれた存在ではなかった。私は……おろかな、無力なただの人間で――とてつもなく思い上がってもいれば……この上もなくうぬぼれ、愚かでもあって……下らぬ、王家の血筋だの、衆愚よりも多少の知恵があることだの……そしてまた、つまらぬ、キタラだの、踊りだの――歌だのの腕前などを誇り、そんなつまらぬものが、選ばれてあることの根拠だと思っているような、ばかものだった……そして、ヤーンは、その私をまるで……この――いまこの瞬間にゆきつく長い長い道におもむかせるためだけのように――私から、その――下らぬうぬぼれのもとであったすべてのものを、ひとつひとつ、確実に……取り上げられた。あなたが――大宇宙の力を体現するあなたの手が握って下さっている、私のこの手は……もう、キタラを弾くこともできない。レイピアをふるうこともない――この足は切られ、踊るはおろか、馬に乗るはおろか、おのれの足で立つことさえできない。もうノスフェラスにもしおもむけたとしても、この足で白い砂を踏みしめることもできない。……そして、この声も――かつて、歌神カルラアの再来とまで賞賛されて……うぬぼれきっていた私のこの声も、こんなに……しわがれてかすれた、ききとることさえ苦しげなものになってしまった。――健康も、寿命も――そして、さいごには、反乱によって、私は……王家の血筋をも、第二王位継承権者の名も……なくした、これ以上まだ失うものがあるのかと思う私をいましめるためのように、ヤーンは私の視力をもあやうくされ――だが、そこで、私に……しばしの猶予を下された……私が、おそらくは、何のための試練であるのかを、少しは……気づくことができたがために……」

「ナリスどの。そのように長く話すのは……いまのおからだには辛いのではないか」

低く、グインはいった。

「いいのです。……私にはもう本当に時間がない。自分のからだです。自分でわかります。——本当は、黒蓮の粉を使うことは、医師にかたく禁じられていた。もう、これまで——私はあまりに、さまざまな苦痛を逃れるために、それを使いすぎていたので——ひどい中毒になってしまっていて……もう、これ以上使うことは、毒薬と同じことだと言い渡されていた。でも——本当にそれが必要なときには……このカイは、この世で一番私に忠実です。——私が、もはや、おろかしさや、むなしい自信や自負から、判断をあやまることはないと彼は知っている。彼は……私が命じたままに、それを私に与えてくれた」

「そうか」

グインはゆっくりといった。そしてまた云った。

「そうか」

「ええ、グイン。——ですから、もう私のことは心配なさらずに。……私は、あなたに、お伝えしなくてはならないことがあるのです……たぶん、そのために——そのために、私はこうしてあまりにも——あまりにも不思議なヤーンの運命のなかに導かれ……そしてついにこの……さびしい村にたどりついたのだ。……すべては、これでよかった——すべては正しかったのだ。そう思うことが、いま、私は……こよなく嬉しい……私は、これほど幸福だと思ったことは、これまでにひとたびもなかった……」

「……」

「グイン。……あなたのなさろうとしていることは正しいと思う。……というよりも……あなたは、正しいわざをおこなうために……神々につかわされた存在なのだと私は……ずっと思っていた、いま――私は、あなたと会って――そのことを確信した。……あなたは、やはり――普通の人間ではない。あなたは……あなたは大宇宙の《気》を内包している……あなたがここに……同じ部屋にいるだけで、私は……私は、うまくことばにはできないが――感じるのです……波動を。宇宙の――世界そのものの波動がここにあることを……」

「……」

「私はそれを知りたかった。――だったら、すべてを……私は、あなたに託すことができる。……グイン――このカイが知っています。……私はふたつの手紙を書いて……カイに託してありました。……ひとつは、もしもそれが、他のものの手にわたったときのために――偽りの、罠を仕掛けたものを……もしもそれが開くなら……それのとおりに動かせば――古代機械は――消滅する……」

「ナリスさま」

カイが、ふいに、びくりとしたように叫んで、イシュトヴァーンのほうを見た。ナリスは、なだめるようにかすかにうなづいた。

「大丈夫だ。……彼には、何のことかわからない。……彼は――普通の人間だ。さだめにしたがい――このふしぎなヤーンの模様のいけにえとして……変転をかさねてはゆくけれども――グインとは違う。……この秘密に手をふれられるものは……ほかにはもうこの……世界にはない……」

「古代機械が消滅する、だと」

ゆっくりと、グインは云った。ナリスはかすかに首をうなづかせた。

「そうです。――もしも……あれがキタイ王の手に……落ちることがあれば、それは……世界を破滅への道にまっしぐらに……導くだろうと私はかねて思っていたのです。……そのときには、私は――いま、あの機械がそのあるじと認めてくれている者のさいごの責任として、あれをきちんと処分して、あれが正当でない持ち主に悪用されることを防がなくてはならぬ、とずっと考えていた。これは、あの機械が――《マスター》と呼ぶのですが――私をそれと認定したとき、あの機械自体に指定されたことだったのです」

「――それは、わかる」

グインはうなづいた。

「俺もクリスタル・パレスを脱出するとき、あの機械を使った。機械は俺を――そうだ、機械は俺をその《マスター》として認めた」

「ええ……」

ナリスは夢見るようにうなづいた。

「ですから……その話を知って、私は……そのすべてがどういうことなのか……わかったと考えたのです。――あの機械には、本来……ひとりしか、《マスター》はいない。すくなくとも、いちどきにひとりしかいない。そして……いま、あの機械には新しい《マスター》が――たぶん、私などよりもずっと正当な――それが出来た……」

「……」

「あの機械は、ある禁じられた《パスワード》を入力すれば、自爆します。……そのように設定されているのです。それによって、あの機械は、自ら、危険を回避します……あの機械が悪用されると――これは結局難しすぎて……私の知能では、というよりも……この時代の科学では、解明することができなかった……あの機械が、悪用されると、いくつもかさなりあっているこの――うまく言えません、この世界のほかの世界とのあいだが破れて……世界と世界がかさなりあい、この世すべての危機が訪れる――そう、あの機械は告げるのです。《マスター》となった新しい管理者には必ず。……そして《マスター》は、その危機を回避するために手段をこうじるよう、求められます。《マスター》であるものの責任として。――そして、また、もうひとつ――」

「……」

《マスター》の交替のためには……前の《マスター》が、この者を……新しい《マスター》と認定する、という——証明が必要です。……それを、私は……ヨナに渡しておきました……私がいのちをおとしたら、彼が、必ずそれをあなたに渡してくれるように、決められてありました……」

「ナリスどの……」

「あなたは、あの機械を使って、リンダを救出してくださることができた。——あなたは、すでに、あの機械に認められているのです。あとは——私があなたを認定したという証明があれば……あの機械は、あなただけの命令で動くものとなります。……私が——このようなからだの私が《マスター》でいるよりも、はるかに——キタイの危機の近くにあるいま、あなたがそうであってくださったほうが、正しいことだと……私は思う……」

「………」

「キタイ王ヤンダル・ゾッグの野望は——いったん、キタイでの反乱のために回避されている——だが、またかならず、その目が中原にむくときがきます——なぜなら、彼の望んでいるのはまさに……あの機械そのものなのですから——そのためにこそ、彼はずっと——パロと、そしてクリスタルと——そしてあの機械の《マスター》である私を……手中にしようとつけねらっていた。……だから、私は……どうしても——その危険をあいてに……このからだでも、戦わぬわけにはゆかなかった……」

「……」

「グイン。——もうひとつ……もうひとつあります。危機はもうひとつ……」

「わかっている」

グインはうっそりと低く云った。

「あなたの云いたいことはわかっている。——古代機械はもう一機ある、という……そのことだ」

「そうです。……たぶん、同じものが、ノスフェラスに……そして、でも、あなたはノスフェラスの王でもある……ノスフェラス自体が、あなたを……ノスフェラスの王に選んだ……そして、クリスタルの古代機械は……あなたを新しい《マスター》に選んだ……」

「……」

「すべては……あまりにも明らかです。……あなたは……中原の守護者として……この世界の守護者としてたつ……キタイ王は……たぶん、外のまったく異質な世界からやってきた——侵略者たちの生き残りで……もとの世界に戻るための——ルートを、クリスタルの古代機械か——ノスフェラスの古代機械か——それともその双方によって……開こうとしていると思う……それが完成したときには……この世界はたぶん——もう二度とは……いまと同じすがたを……とどめていることはできなくなる……」

ナリスの声がしだいに細くなり、とぎれた。

「カラム水を——カイ」

「はい」

カイはまた、さきほどの吸香みをナリスの唇にあてた。黒蓮の粉の入ったそれを、ナリスはむさぼるように吸った。そして、肩で深く息をついた。

「もう、時間が……あまり残ってない。急がなくては……」

「俺に何か、出来ることはあるか？」

グインは云った。ナリスは首をふった。

「私の手を握っていてくだされば——それで充分です。……私は、宇宙そのものにみとられているという気がしている……こんな幸せは予想していなかった。すべては報われた——私は、報いを得た……すべての、この——これまでの苦しみとうらみと……悲しみの報いを……」

「誰だ」

ふいに、イシュトヴァーンが、あえぐように叫んだ。扉があいて、入ってきたのはヨナだった。

「ナリスさま」

ヨナは、イシュトヴァーンには目もくれずに叫ぶように云った。

「勝手とは存じましたが……ヴァレリウス宰相にご連絡を……心話でご連絡をとらせていただきました。……もう、おいでになっておられます、ここにお入りいただいても——？」

「かまいませんか、グイン」

ナリスはささやくようにいった。グインは即座にうなづいた。

「かまわぬだろう。俺ももしかして、そのほうがよいかと思っていた」

「待てよ」

イシュトヴァーンが険しく言いかける。

「何をやってるんだ、お前らは……」

グインは、首をまげて、この室に入ってからはじめて、イシュトヴァーンを正面から、強い光をはなつトパーズ色の瞳で見つめた。

すると、ふしぎなことに、イシュトヴァーンはそのまま口をつぐんでしまった。扉が開き、黒い魔道師のマントに包まれた小柄なすがたが入ってきた。

ヴァレリウスは、そのまま、ひとことも云わず、影そのもののように、寝台のかたわらに、グインの反対側に立った。そして、そのまま、何ひとつ、誰にも挨拶もせず、口も開こうともしなかった。

4

「ああ――」

ナリスは、ちらりとそのヴァレリウスのほうに目をやった。だが、そのまままた、目をグインのほうに戻した。そのおもては、急速に、流れる雲のように白く、血の気を失いはじめていた。

「黒蓮のききめが薄れてきた……」

ナリスはかすれた声で囁いた。

「だんだん、きいている時間が短くなる。――カイ」

「はい」

カイはカラム水の吸呑みをあてがう。ナリスは苦しそうにそれを吸った。

「急がなくては……」

かれはつぶやいた。そして、なにごともなかったかのように続けたが、その声はかなり低く、ききとり難くなっていた。

「ヤンダル・ゾッグの世界が……この世界を蹂躙し……すべてを失わせるのを……放置しておくわけにはゆかない。私は……はじめは、あまりにも……空想的すぎて、すべては……まるで、私ひとりが……おろかな吟遊詩人の夢をでも……見ているのかと思った……だのに、どんどん——踏み込めば踏み込むほど、私の思っていたとおりに……いや、私の思っていた以上に、何倍にも……驚くべき、驚嘆すべき事実が……結びあわされてきて——私の思ったことはすべて……ヨナにあずけた本のなかに、書き留めました……それでもこのようなからだになって、書き留めるのが間に合わなかったことは……ヨナとヴァレリウスが——知っている。ことにヨナは……すべて、この近年の……私の考えをともに検証し——考えてくれている、ともに——同じ脳髄をわかちあっていたような……ものです。だから、それについては……ヨナが一番……詳しい」

「ああ」

グインはうなづいた。ヨナは、影のようにまた、寝台のうしろに立っていたが、ひっそりと頭をさげた。

「ヨナに——何かあれば、ヨナにお聞き下さい……そして、古代機械の扱いについては——すべて、グインどのにおまかせします。……ただ、私は、あれがヤンダル・ゾッグの手にさえわたらぬのなら……機械自体を……転送してしまうことも可能ですよ……どこへでも、サイロンへでも、ノスフェラスへでも……」

ナリスはかすかな笑顔をみせた。その笑顔はだが、もう、ほとんど力つきかけていた。

「そう、あの機械に、自らを転送せよと……命じることもできるのです……はるか昔に……あの機械はそうやって――この世界にやってきたのだから……それによってこの世界に、あらたな――歴史がはじまった――それまでも……なかったわけじゃない、でもそれは……もっとずっと――先に行くにはもっとずっと……ずっと時間のかかるような……歴史で……」

「ナリスさま……」

低く、ヴァレリウスがささやいた。何かをさまたげることをおそれているかのように、その声はかぎりなく低かった。

「おからだを起こしていられるのは……お辛くありませんか……お支えいたします。よろしゅうございますか？」

「ああ――ああ、ヴァレリウス」

ナリスはかすかにうなづいた。ヴァレリウスは、グインにそっと会釈して、寝台に膝をついて、腕をまわし、ナリスの細い両肩をうしろからかかえるようにして、そのからだを支えた。

ナリスの頭がぐらりとゆらいでうしろに垂れた。長い黒髪が、ゆらりと揺れた。が、ナリスは、ヴァレリウスの肩にもたれるようにして、また頭をなんとかたてなおした。

「そんなことはもしかしたら……私よりもずっと、あなたのほうがよく知っている……のかもしれない、グイン——私にとっては——一生かけて、ようやくここまで……知ることのできたようなこんなことどもを……あなたは、すべてを、最初から……苦もなく当たり前の知識として……持っておられたのかもしれない。だとしても——私はくやまない——私は——本来、そのような……宇宙生成の秘密になど……とうてい立ち入ることもできぬような……ただの一介の……いやしい人の子にしか……すぎなかったのだから。それが……こうして……大宇宙の《気》の波動を体現する……偉大な存在に——こうして——つらなることが……できて——伝えることができて——私は——」

「ナリスさま」

ヨナがするどい声をたてて体を浮かせた。ヴァレリウスはそちらをふりむこうともせず、わずかに手を動かして止めた。

「カラム水をおくれ——カイ」

「はい。ナリスさま」

「私は……あなたが——間に合ってよかった……あなたに、《マスター》の認定のことを……伝えることができて——古代機械は——次からは……あなたか、あなたが——使ってよいと認めて……一時的な使用者としてのパスワードを伝えたものの命令をしかかなくなります。……できれば、クリスタルから——どこか——ノスフェラスへでも…

……安全なところへ、運び去ってやっていただいたほうが……でもわかりません——その機械はいまはじめてたぶん——本来の意味でのマスターを得たのだから……すべてはあなたにおまかせします。グイン——私にはわからないような、もっと深く大きなこの世界の秘密だって——あなたはもうすでに——きっとおわかりなのだから……」

「そんなことはない」

グインは痛切にいった。

「俺の知っていることなど、本当にごくわずかしかない。——俺もまた、その意味では——ナリスどのと、何ひとつかわらぬ、ただの人の子にしかすぎないのだ——少しは、ほかのものにくらべ、おおいなる調整者に近いように思えるにしたところでだ。そのようなものは——つまるところ、神の前の塵に大きさの差などないにひとしい、そのくらいのものにすぎぬ」

「あなたは……どこから来て、どこへ……ゆくのだろう。豹頭のグイン」

うっとりと、ナリスは囁いた。ふとその目が力なく閉じられた。

「あなたの……故郷の世界では……あなたのようなすがたのものたちが……あの古代機械を駆使し……星船を駆って、自在に——星空を、海の上を——ひとつの世界からもうひとつの世界までを飛び回っているのでしょうか？——あなたは……そういう世界から……やってきたの——？」

「俺は――ランドックからやってきた……らしい」

　グインは、そっと、ナリスの手を握る手に、気を付けながら力をこめた。

「ランドック――それがどこにあるのか、この地上のどこかの国か、それとも海の底か地のはてか、はては、あの星々ひとつひとつがこれと同じような世界であるならばそのなかのひとつであるのか、それは俺も確かなことが言えぬ。が――ヤンダル・ゾッグの一族のことを考えれば、それは、ありえぬことではない……事実、そのようなことを、きいた覚えもある。――だが、俺には思い出せぬ。俺はかつてその世界で、王であったらしい――だが、また、その世界を逐われた王であったらしい。何か失策をしたのか、それとも王として失格したのか――それも問うすべもない。俺はすべての記憶を失ってこの世界に生まれ出た――それからこっち、ずっと俺もまた、ヤーンのみ心をおこなう者のようになにものかに動かされてきたような、そんな気がしている。――そしていま」

　グインは優しくナリスの手を包み込んだ。

「ここで、ナリスどのとまみえるを得た。――このような成り行きは想像していなかった。俺にもわからぬことは沢山ある」

「でも――あなたは、私たちよりもずっとたくさんのことを……知っている……ノスフェラスへも……」

ナリスのかすれた声に、奇妙な、あどけないひびきが加わった。

「いいな。――私はいつも夢見ていた。……私はいつもゆきたかった。ノスフェラスに――星々の彼方に――星船に乗って……豹の頭の神々が……飛び交い、銀色の……光あふれるふしぎな世界……私はいつそれを……夢にみたのだろう？　私も――そのなかでひとたびは……転生を過ごしていたことがあったのだろうか……だから、こんなにも……そのことを思うと、懐かしくて……胸が痛いような……奇妙な気持にとらえられるのだろうか……」

「ナリスさま」

ヨナがするどく叫んだ。

「モース先生を」

「………」

ヴァレリウスがかすかに首をふった。ヨナは息をつめた。そのまま、力つきたように椅子に腰を落とす。が、また、はじかれたように立ち上がって寝台に寄った。

「とうとう――今生では――ノスフェラスの砂を踏むことは……かなわなかったけれど――きっと、次に……生まれたときには――もっと――つまらぬ――すこやかな――夢見ることなど知らぬ……健康でたわいもない、犬か……鳥か……そんなものになって――ノスフェラスの……白い砂と星々のあいだを……飛んで――何ももう――宇宙の生成の——秘密など追いかけることも知らないで……きっと——いつか、星々に追いつくように——」

「ナリスさま——」

ヴァレリウスは、ナリスを抱きしめ、支える手に力をこめた。

「だいぶ——疲れたようだ……」

ナリスはかすかな声で囁くようにいった。その声は、はるかなノスフェラスの砂の上に鳴る風のように遠かった。

「ゴーラのことも、決めなくてはならないのでしたね……でも、申し訳ないが……もう、限界に……きてしまったようだ。ちょっと、眠るよ……グイン……すべて……あなたのよいように——それにリンダを——リンダは、きっと——」

声が途絶えた。

室のなかに、奇妙な恐しい沈黙が落ちた。

グインは黙って、ナリスの手を握ったまま寝台にかけていた。その目は、何を思うのか、茫漠と無表情にナリスの目をとじた、はかない白い顔に向けられたままだった。

イシュトヴァーンは、何ごとが起きているのか、まったく理解できぬかのように、ただじっと座っていた。彼の目は、ぼんやりと、寝台に向けられてはいたが、何も見てはいないようだった。

ヨナは、ただ黙って、寝台の鏡板のへりをきつく握り締め、声もなく、滂沱と涙を頬に伝わらせ、唇をかみしめて立ちつくしていた。カイはかたくカラム水の、ナリスの気に入りの銀の吸呑みを握り締めたまま、こおりついたように寝台のうしろに立っている。ヴァレリウスは、ゆっくりと、ナリスのからだを寝台の上におろした。だが、その肩を抱きしめる腕ははなさなかった。

「おやすみになられたようだ」

うつろな声で、ヴァレリウスは云った。

「よろしければ——グイン陛下を……あちらのお部屋に——イシュトヴァーン陛下も……どうか……ヨナ」

「ああ……」

ヨナは流れおちる涙をぬぐおうともせずにうなづいた。

「わかりました。……グイン陛下。——イシュトヴァーン陛下……どうか、あちらのお部屋へ……ナリスさまは……おやすみになられ……」

言いかけて、ヨナはついにたまりかねたように嗚咽した。

「失礼いたしました……」

だが、すぐに、かれは激しく息をすすりこんで嗚咽をこらえた。イシュトヴァーンはやはり、何が起きたか理解できぬかのようにそのまま座っている。グインは、そっとナリスの手をはなし、それを胸の上にのせた。そのトパーズ色の目は、目をとじて、ヴァレリウスの腕のなかでしずかに横たわっているナリスの静かな寝顔に向けられた。

「のちほど、またお目にかかれるだろう」

グインは、静かにいった。

「リンダにも使いを出してやるがいい。——もう、神聖パロ軍のものたちも、すべての恩讐をこえるだろう」

「はい……」

ヨナは消え入るようにうなづいた。

「はい……さきほどもう……ヴァレリウス宰相から……王妃陛下のほうへは、おそらく——というお伝えはさせていただきましたので……もう、こちらに向かっておられることと思います」

「そうか」

グインの目が、一瞬、ふしぎな光を浮かべてヨナの青白い顔を見つめた。

「ヨナ・ハンゼ参謀長——といわれたな」

「はい。——ヴァラキアの出身でヨナ・ハンゼ、王立学問所に学び……ヴァラキアでは、イシュトヴァーン陛下にもいろいろと……ご友誼をこうむらせていただいております。……のちほど、グイン陛下にお目にかかり——ナリスさまの言い残され——」

そこまでいった瞬間に、ふいに、ヨナは、何かの糸が切れたようにまた、口をおさえて嗚咽した。こんどは、こらえることができなかった。そのまま、わびるように頭をさげて、そのままヨナは室を出ていった。

「行こう」

グインは静かにいい、イシュトヴァーンの腕に手をかけて立ち上がらせた。

「かれらだけにしておいてやれ。――ここは、もう、我々のいる場所ではない」

「グイン――」

イシュトヴァーンは、ぽかんとしたようにグインを見た。よく、何もかものなりゆきが理解できないようすだった。

「なんで――なんだか、そのう――なんで――」

「あちらへ行こう、イシュトヴァーン。――もう、和平のことは案ずることはない。ゴーラ軍の処遇については、俺の考えたとおりにするのが一番いいだろう」

「待って……」

イシュトヴァーンは妙に不安そうに寝台のほうを見、グインを見た。

「俺は――なんだか――まさか、でも――どうして――ナリスさまは……」

「向こうへ行くのだ、イシュトヴァーン」

グインは強い声でいった。

「ここに、これ以上とどまっているのは申し訳がない。さあ、来るがいい。話はあちらでしょう」

「……………」

ヴァレリウスは、黙って、寝台の上から、グインに頭をさげた。

グインは、イシュトヴァーンの腕をつかんで、ほとんど吊り上げるようにして立ち上がらせ、そのまま、なおも寝台のほうをふりかえろうとするイシュトヴァーンをかかえるようにして、室の外に出ていった。

室のなかに残されたのは、ヴァレリウスと、ナリスと、そしてカイ——それだけになった。カイは、そっと、こわばった指を自分の手で開くようにして、銀の吸呑みを小さなテーブルの上におろした。そして、そのまま、室の隅にうずくまった。

ヴァレリウスは、そっとナリスの肩の下から腕をぬき、ナリスを寝台によこたえさせた。そして黒くつややかな髪の毛をそっと両肩にさばいてやり、掛け布をきちんと肩のところまで引きあげ、両手をそっと胸のところに組ませた。すべての扱いを、この上もなくやさしく、これよりもやさしく扱うことはできぬというくらいやさしく彼はしていた。おくれ毛をかきあげてやり、ほかに何かすることはないのか、と探すかのように、またあらためて掛け布の位置を直した。そして、胸の上に組み合わせたナリスの手の上にそっと手をすべらせると、そのまま、くずれおちるように寝台のかたわらに座り込んだ。

「ナリスさま……」

やさしく――かぎりなく優しく、彼はささやいた。

「よく、おやすみになって下さいませ――誰も、邪魔をせぬよう――ヴァレリウスが見張っておりますから……」

それから、はじめて気づいたように、ナリスの手をそっととりあげた。そこには、重たげな銀の指輪がはまっていた。

「もう――これは……お入り用はありませんね……幸いなことに……もう、これをお使いになるようなことには……ならぬままですんで……よかった……重たくて、お邪魔でしょう……」

そっと、その指輪をぬきとる。一瞬、彼は、その蓋をあけて、そのなかみを――という、非常な誘惑にかられたように、その指輪をつかんだまま、硬直していた。それから、おのれをあざけるように、かすかに、かぎりなく苦く笑って、その指輪をおのれの指にはめた。

「あまりお指が細いから……私だと、くすり指にはめるのもきついくらいですよ……」

ヴァレリウスはつぶやいた。

「これを……使ってもかまわぬと……お許しが出るときがきたら――すぐに、おあとを追いかけますから——それまでは、あまりゾルダの坂道をお急ぎにならずに——」

ヴァレリウスは優しく囁いた。そして、また、そっともとどおり、指輪をぬきとられたナリスの手を胸の上に組ませてやった。

「ナリスさま」

ヴァレリウスは囁いた。

「本当に——ご無理にご無理をかさねて……今日の日まで——かろうじて、待っておられたのですね……もしかして、そういうこともあるかと思って——この……会見の話をきいたとき……なんとなく、ひどく——胸苦しい気持がしていたのですが——」

むろん、いらえはない。

ひっそりと目をとじて、静かにナリスは眠っているように見えた。ヴァレリウスは、むさぼるようにその静かな顔を見つめた。

「でも——よかった。……ヨナのおかげで——間に合うこともできましたし……それに——とうとう——お約束していたのに……あんなにお約束していたのに、ノスフェラスに——お連れして差し上げることはできないままでしたから……さいごに、あなたが——グイン陛下にお会いになって……子どものように喜んでおられるご様子を見て……私は……本当によかったなと——本当ですよ、ナリスさま——本当に、よかったと思っておりますよ……」

ヴァレリウスは、そっと、ナリスの組み合わせた手の上に、頰をおしあてた。その目には、涙一粒浮かばなかった。

「それにもうひとつのお約束も――どのように――いつ、どうやって……そうなられるとしても――必ず、私がみとって……さいごまでみとってさしあげるというお約束も……はたすことができたのですから――そのときには、私の――腕のなかで……という……ですから、私は――少しでも遅いようにとは……ずっと祈ってはおりましたけれども、でも……」

ヴァレリウスは、また、指にはめたゾルーガの指輪をじっと見つめた。

「あとは……ただ、すませるべき処理をみんなすませて……ナリスさまのご懸念が何も残らないように……いろいろなものごとが、きちんと片づいてから、これを……これで、急いでおあとを追いかければいいだけのことですから……そうでしょう……本当に、これまで、こんなつらいおからだで、よく――よく頑張ってこられましたね。お偉かったこですよ……よく、今日まで――グインとお会いになるまで――お辛かったでしょうに……本当は、いつどうなっても不思議はないと……ずっとモース先生が……案じておられたような……ご容体だったのに……私はね、ナリスさま……何回も、モース先生には引導を渡されていたのですよ……とにかく――もう、いつ……どうなられるか、何がきっかけとなるか――いまとなっては何も予想がつけられない、そのくらい――もう、おからだのほうは——半分以上、機能していないような状態なのだからと……でも、本当に、ずいぶん頑張って——なんとか力をつけようとして下さって……本当に、お偉かったですよ……」

優しく囁きつづけるようなヴァレリウスのくりごとが、ふっとやんだ。

目を真っ赤に泣き腫らしたヨナがそっとノックしてドアをあけて、入ってきた。

「リンダ王妃陛下がシランよりご到着になりました。——そちらに、サラミス公ほかの皆様も……ルナン侯にはいま、マルガあてにお使者を出しておりますが、マルガからですので、ご到着は今夜になられると思います」

「……」

黙って、ヴァレリウスはうなづいた。そして、立ち上がって寝台のかたわらにしりぞいた。

入ってきたリンダは、ずっとこのところ身につけていたよろいかぶととマントの勇ましい軍装をといて、白い簡素なドレス姿であった。髪の毛はさらりとうしろにたばねているだけだった。彼女は、入ってこようとして、まるで足を踏み入れることが恐しいかのように立ち止まった。

彼女のかたわらに、小さなあどけない姿があった。スニであった。ようやく、クリスタル・パレスで、ヤンダル・ゾッグの魔道でかけられた眠りをイェライシャがといてくれることができて、長い眠りからさめたばかりであった。よく事情も飲み込めぬまま、スニが目覚めたときいたリンダの強い要望で、とりあえずリンダの身のまわりの世話をするために、急ぎ神聖パロ軍に合流したばかりのところであったのだ。スニが意識をとりもどしたことは、リンダには何よりの心の支えであったらしく、リンダは、スニの小さな手をしっかりと握り締めると、いささかの勇気をふるいおこして、室のなかにゆっくりと入ってきた。

ヴァレリウスは黙ってゆっくりと頭をさげた。リンダは何もいわず、寝台の上を見た。静かに目をとじて、白い長衣につつまれ、胸の上に手を組み合わせ、白い掛け布をかけて、眠っているとしか見えぬ夫のすがたをじっと見つめる。

「眠っている……としか思えないわ……」

低い声で、リンダはいった。

「本当に——?……ねえ、ヴァレリウス。——本当に——なの?」

「……………」

ヴァレリウスはまた、黙って頭を下げる。

「疑っているわけではないけれど……だって、このあいだだって……いっぺんは……あのようなことがあったんだし……」

リンダはやはり低い、ナリスの眠りをさまたげるのをおそれるかのような声で囁いた。

「それに――このところはむしろ……容態のほうは安定しているようだと……けさも、あなたから……きいたばかりだったわ……だから、グインと会っても――興奮しすぎないようにつとめれば大丈夫だろうと……どうして、こんなに――どうしてこんなに急に――？」

「本当は、もう――いつこうなられても……しかたのない状態であられたので……」

ヨナのうしろから入ってきたモース医師が、低く云った。それから、医師はそっと寝台のかたわらに寄り、ナリスのまぶたをあけて見、脈をとり、胸の鼓動をあらためた。そのまま、そっとまた、手をもとに戻して、壁ぎわまで引き下がった。

「どうして？」

モース医師のことばなど、まったくきいておらぬかのように、リンダは繰り返した。

「どうしてこんなに急に？　急すぎるわ。……私、そんなの……思ってもいなかったわ。こんな……」

時は、この室のなかで、止まりはてたかのようにしずかであった。

第四話　愛によりて

1

世界は——

おそろしいほどに、しずまりかえっていた。

小さな、マルガのはてのさびれた村に、日は落ち、そして月もない夜がやってきた。星々も、今宵は雲にさえぎられ、だが風ひとつ吹かぬひそやかな夜であった。

すべての世界が息を殺して静まりかえり、何かの気配をうかがおうとしているような、そんなあやしい、奇妙な気配が、夜のなかに漂っていた。どこからかかすかにサルビオの没薬のかおりがする。誰かが、亡きひとの枕辺にたきこめているのかもしれぬ。

すべてが終わったあとの世界が訪れでもしたかのように、あまりにもどこもかしこも静寂と沈黙のなかに包みつくされていた。

ゴーラのおもだった部隊はもとのシランの西の草原にそのままおかれて、野営を続けている。イシュトヴァーンの了承を得て、神聖パロの軍勢のうち一千ほどが、小さなこのヤーナの村に下ってきたが、村というにさえあまりに小さいこの村では、それだけの軍勢がとどまる場所とてもなく、村の外側の田園地帯にやはり陣を張るかたちでとどまっている。ごく少数の精鋭だけが、王妃と、そして神聖パロの初代国王の遺骸を守るためにヤーナに入っていた。

村長の邸は、歴史的な会見の場から一転して、ひそやかな通夜の場となっていた。あわただしく四方から花が調達され、マルガからも、早く出立できた重臣たちがこの小さな邸に訪れたが、いずれの訪れもあまりにもひっそりとしており、大きな声ひとつたてるのもはばかられるような静寂は、ずっと続いているままであった。

運び込まれた花々のおかげで、奥まった寝室は花園のように華やいでいた。一応この村で一番の豪邸であるとはいいながら、マルガからもはなれた小さな小さな村落の長の家である。クリスタル大公、カレニア王、そして神聖パロ国王とさえ呼ばれた人のさいごの場となるには、あまりにも寂しい——と思うものも、あったかもしれないが、室と、室にいたる廊下の壁という壁を埋め尽くした色とりどりの花々は、その思いをふっと遠くへ追いやるふしぎな鎮静の作用があった。

「あのかたは、花がとてもお好きでしたから……」

目を泣き腫らした小姓たちを指図して、次々に荷馬車で届けられるおびただしい花々の置き場所を決めながら、ヴァレリウスは同じ仕事を手伝っている黒衣のリギアにしずかに云った。

「どのような場所であれ——どんな豪華な寝台でそうなられるより、花にかこまれて送られるほうをお喜びになると思いますよ。本当に、ふしぎなほど、花を好んでおられましたから」

「そう——そうね……」

リギアは、うち沈んだ、半日ほどでがっくりとやつれたおももちで、花を選びながらかすかに微笑んだ。

「本当にお花が好きでいらしたわね……」

「でもアムネリアだけは遠ざけておかないと。——自分にはにおいがきつすぎる、と——ことに、あの、《死の婚礼》の一件以来、アムネリアだけは決して御自分の部屋にも、またカリナエにもおかれぬようにしていられましたからね。……その、アムネリス大公も、ほとんど時を同じくしてあの若さで他界された、というのも、何かのくすしき因縁だと思われてなりませんが……そう、ここはやはり、お好きなロザリアにしよう。この先は全部ロザリアにしたほうがいい」

「あなたは——」

いくぶんためらいがちにリギアは云った。

「大丈夫なの、ヴァレリウス――？　このようなことをいうのは、そのう……あまりに心ないと思われてしまうかもしれないけれど……そうではなくて、私……本当に、心配しているのよ。……いろいろな――本当にいろいろな、あまりにも……ことばにつくせないようないろいろなことがあったけれど……それでも……」

「このロザリアはひと荷全部、あちらの通路に並べてくれないか」

ヴァレリウスは小姓たちにむかっていった。小姓たちはうなづいて、ロザリアの鉢をかかえて運び出しはじめた。

「それでも……私――」

リギアは思わず手をとめて、じっとヴァレリウスの痩せた顔を見つめた。ヴァレリウスは、むしろ静かなおだやかな表情で――このところはじめて見るほどに、静かな落ち着いた顔で、そのリギアを見つめ返した。その目にも、ほほにも、やはり涙のあとはなかった。

「それでも私――やっぱり――すべての愛憎の荒波をこえてきて、いま――ここにこうしているとき、あなたを……むしろ、なんだか……あまりにもいろいろなことのあったあとにいまはじめて、あなたを――ああ、やはりヴァレリウスなのだ――あの、昔、私がとても好きだった、あのヴァレリウス魔道師なんだと感じるわ……」

「それはどうも」

とぼけたようにヴァレリウスは云った。その灰色の聡明な瞳は、リギアを通り抜けて、その向こうにあるものだけを見つめているかのように遠かった。

「だから——だから私……」

リギアはそのヴァレリウスの目にあって、一瞬ひるんだが、そのまままた気持をふるいおこして続けた。

「だから私——こういったって信じてもらえないかもしれないけれど、あなたが——あなたが心配なのよ、ヴァレリウス。——あなたが——泣き崩れて、号泣してくれていたほうが、はるかに——心配ではなかったわ。そうしているあなたは……あまりに静かで、落ち着いていて——とても……心配なのよ——おお、ヴァレリウス」

ふいに、こらえかねて、リギアはヴァレリウスのそばにより、手をのばして、ヴァレリウスの手をつかんだ。ヴァレリウスはびくりとしたが、手をひこうとはあえてしなかった。

「お願い、約束して頂戴」

リギアは激しく囁いた。

「どうか——どうかあのかたのあとを追って——あのかたのあとを追っていってしまうことだけはしないと。——私、リンダさまが到着なさって……そのあと、私たちもお部屋に入ることを許されたときから——ずっとあなただけを見ていたのよ……ヴァレリウス」

「そんなに、見て面白い顔ではございませんよ」

ヴァレリウスはいくぶん皮肉にいった。だがリギアは動じなかった。

「あなたが、涙にくれていたら——むごいようだけれど、私……むしろほっとしたかもしれないわ。でも——あなたは涙一筋見せていない。それがとても——とても恐しいの。お願いよ、ヴァレリウス。どうか早まったことは考えないでね——どうか、ばかなことはしないで、思い詰めないで——世界には、あの——あのかたとあなたしかいないわけではないのよ。いまはそう——あなたにはそうとしか思えないのかもしれないけれど、あなたにだって——あなたがいなくなったら号泣するだろうものもいれば、あなたに……とどまっていてほしいと思うものもいるのよ。ヴァレリウス……」

「そうでしょうか？」

ヴァレリウスは奇妙な淡々とした口調でいった。

「そのような恩愛は——私は築いてこなかったと思いますよ。私は家族もないし——愛するひとと築いた家庭ひとつない。その意味では、私ほど、さっぱりとあとくされもない人間はないのではないかとかねがね思っているのですがね。……リギアさまとても、いっときは、もう、顔も見たくないとお思いにもなっていたはずですし、また、殺したい、死んでしまえばいいとも憎んでおられたはずです。また、それはそれでしょうがないなりゆきだったと思います」

「それは本当にいろいろなことがあったわ――本当に……」

リギアは口ごもった。

「それに――私、こうしているとなんだかとても不思議な気がして――とうてい信じられない。なんだかまだ、どうしても――だってそうでしょう。私あの――あの、アレスの丘のことを思い出してしまう。あのときに私の心はいっぺん張り裂けて――もう、それぎり、本当にはもとに戻っていないんだという気がするのよ……私、あのとき、信じたもの。信じて――そして嘆き悲しみ、心が張りさけ――そして、裏切られて……そうして、もう二度と……前のようにはなれないと思って、そして出ていったのですもの……」

「……」

「あのときも、ああしてあのかたはよこたわっていらした――だけど、そのあとで、結局……ああいうことになって……」

「あれは――やはり、あまりにも無謀な計略でしたね……」

またしても、奇妙なくらい無感動な言い方で、ヴァレリウスは云った。

「あのことさえなければ……このおからだでも、もうちょっとは……あのときには、ああするしかなかったのですから、いまになってどうこういったところでいたしかたもありませんが——それにしても、私がそこにいられさえしたら……といくたび思ったことか。……あのかたのおからだに、あのような佯死の擬装はあまりに負担が大きすぎたと思いますよ——あれさえ、なさらなかったら、たぶんまだ——あと一年か、二年は——どちらにしても、あと一年か二年、ではあったでしょうけれどもね。……それはもう、いくらいってもくりごとでしかたがない」

「お願い」

リギアはたまりかねたように耳をおさえた。

「お願い、そんなふうに……妙に落ち着いて、淡々と話すのをやめて、どうか。なんだか、きいていて、たまらなくなるわ——たまらないくらい、恐しくなるわ」

「では、どうしたらいいと？　私が泣き叫んで、髪の毛をかきむしって大地をころげまわっているほうが、安心なされますか？」

ヴァレリウスは云った。だが、それからすぐに後悔したように首をふった。

「失礼——そんな、皮肉だのいやみをいうつもりではなかったのです。そういったところでせんかたもないことだし——それに、リギアさまは、あれだけの恩讐をこえて、マルガ奇襲を伝えにおいで下さった。そのことだけでも、私は深くリギアさまに感謝していますし——あのとき、リギアさまがどのようにお感じになったかも、はばかりながら多少はわかるつもりですよ」

「なんだか――」

リギアは力なく、そのへんの椅子に、すべての力が尽きたように腰をおろした。

「なんだか、本当に――私たち、信じられないほど遠くにまで来てしまったのね……」

「ええ」

ヴァレリウスはうっとりと云った。

「そうですね。それは、ずっとそう思っています。そのとおりです。本当に」

「いろいろなことがあったわ――あまりにもいろいろなことが……」

「そうです。本当にいろいろなことが……」

「そして……いっぺんはあなたのことを、永久に敵と憎むだろうとも思ったし……それでさえまた通り過ぎてきて――ランも死んだ。ローリウス伯も――ダルカン老も。もう……もう、この上、ちかしい人、愛する人、大事に思っていた人が、いなくなるのはたくさんよ……」

「………」

「お願いよ。私のために、などということばが、まだ少しでもあなたのなかで力をもつものならば……私のために、とあえていうわ。私のためにだけでも――これ以上、私に悲しい思いを重ねさせぬためにだけでも、どうか――死なないで、ヴァレリウス。生きていて――それだけでいいの……もう、本当に……何もかもが砂の城のように崩れおちていってしまって――私、どうしていいかわからないのよ……」

「これから、どうなさるおつもりです？」

その、リギアの哀願には何も答えずに、静かにヴァレリウスはきいた。

「リギアさまはずっと、ナリスさまに何かあれば、それで御自分の義務はすべて果たしたと――そのときこそ、大手をふってスカールさまのもとへゆかれるとおおせになっていたと思いましたが。――こちらが一段落したら……そのように？」

「ええ……ええ、たぶん……」

リギアはためらった。

「ひとつには父が――父ももうじき到着するはずだけれど、父のことが気になるので――父は、ご存知のとおりだから……きっと、たぶん――父もまた、あのかたのあとを追うのがおのれの義務だ、というように考えるのではないかという気がするの。――でも、それは……あなたに対するようには私は……もうあの人はとても老齢だし――それに、いまになって……こんな、自分の息子よりも大切に思ってきたかたにさきだたれて悲嘆にくれる老いた父のすがたなど、私は――見るにたえない思いがする。いっそ、父がここに到着するより前に、どこかの原で私が切り捨ててしまいたいくらいだと思いさえしたわ」

「……」

「でももちろんそんなことはしないけれど。……でもいずれにせよ、父が少しでも落ち着くなり、どうなりするのは見届けなくてはならないと思うわ……こんなことも私——アレスの丘で、スカールさまとお話をしたのよ……」

「……」

「でもあのときと違うのは……私、もしも……いま、あのかたがぱっちりと目を開いて、すまないね、リギア、またしても騙されてしまったのだね、あなたも本当に私がどんな人間なのか、いつまでたっても覚えないのだねえ、といって下さったとしたら——こんどは、私はきっと……嬉し泣きで泣くわ。よくぞ、だまして、たばかって下さった、そう思って——喜んで泣くと思うの……不思議ね」

「そうですね」

「なんだか不思議だと思うわ。あのときだって私、胸の張り裂けるような思いがして、本当に——本当にあのかたがみまかられたのだと信じていたはずだったの。だのに——なんだか、いまと違うわ——いまは、そうね……あまり騒ぎ立てたり、大泣きしたりする気になれない、ああ、そうか、そうなってしまったのだな、とうとうそうなってしまったのだなって——そして、そう思うことそのものが、これは、もう、佯死ではないんだ、ありえないんだ……もう決して、あのかたは……目を開くことも……私に話しかけてくださることもないんだって……」

リギアは突き上げてきた涙をこらえた。

「——ごめんなさい、ヴァレリウス。あなたがそんなに冷静でいるのに。……でも、なんだか、あなたのその冷静さが私はひどく怖いの。そのうしろに、なんだか……恐しい激情がひそんでいそうで……ねえ、いまこんなことをいう私を愚かだと思わないで。……私がもし——私がもし、スカールさまのところにゆかないで……あなたとともにいる、といったとしたら——あなたは、私のために——生きてくれる？　ヴァレリウス……」

「そう——」

ヴァレリウスは、いくぶんおどろいたように、リギアを見つめた。

「まさか、あなたが、そのようなことまで、おっしゃって下さるとはね」

ヴァレリウスは、困ったように微笑した。

「私は、ついつい、いささか気をよくしてしまいますよ。……私にだって多少のうぬぼれはあるし。……そう、そうですね——いまならもう、何をいってもいいですね。私はあなたを愛していましたよ、リギア。あなたが私を憎んでおられたときにも、さげすんで、アムブラの裏切り者と呼んで罵られたときにも。——私にとって、あの《鱒と鯉亭》の一日は……一生のなかで、一番楽しかった思い出のひとつだと思いますよ。ええ、本当に」

「ヴァレリウス——！」

「でも、本当にそういって下さるお気持ちは嬉しいと思いますし、もったいないとも思いますけれど――あなたは、私にはもったいなさすぎますよ、リギア――リギア姫。あなたは、スカールさまにこそふさわしいかただと思います。それに私も――私ももう、黄泉のイリスに――この身も心も捧げてしまいましたし。……あのときに戻れたらいいですね、リギア姫、あのときに、そのあと何年もたって、二人がどのように思い、どんなことばをかわすのかを知っていれば――きっと何もかも――人間というものは、自分が数年後にはどうなっているか、まったく知らないからこそ、勇敢でもいられれば、無鉄砲でもいられるものなんだと、今日ほど思ったことはありませんよ」

「ヴァレリウス……」

「ご安心下さい。私は当分、死ぬつもりなどありません。それどころではない、といってもいい。――私には、いろいろとしなくてはならないことが多すぎて――」

「ヴァレリウス……」

「それにもう、あらためて――あらためて、そんなふうにことごとしく、私のこのつまらぬいのちを断ったりする必要はないんです」

ヴァレリウスは静かにいった。

「もう――もう、私にとっては、すべては終わったのですから。いまさら残っているのは私の肉体だけのことで……そんなものは、放っておいてもいつか勝手に滅びて、朽ち果ててゆくだけのことです。でも、たとえ何百年生きながらえようとも同じことですよ。──私の一生はもう終わった。それは、あの奥のお部屋に花に包まれて横たわっている。なんだか、むしろ──私は、なんで泣かないのかと責められても──ふしぎなくらい、やすらかな気持なんですよ。本当に……なんとそしられても、不思議がられても──そして、こう思うんです。ああ、これが《死》なのか。これが死ぬということなのか……きっと、私はもう死人なんですよ。死んだのは、私なんです」

「ヴァレリウス──」

たまりかねたようにリギアは嗚咽した。

「お願い。そんなふうに──そんなふうに悲しまないで……私、どうしていいかわからなくなるわ……」

「私は、少しも悲しくないんですよ、リギア姫」

優しく、なだめるようにヴァレリウスはいった。

「本当ですよ。不思議なくらい──心が静かで、おだやかで──ただ、ひたすら、愛に包まれているような……すべてがいとおしくて、いじらしくて、切なくてならぬような、そんな心持がしているだけで。──ずっと、このときをおそれてきたし──そのときがきたら、ただちにゾルーガの毒を飲むことだけを考えて安心していられた私だったのですが。──いざ、本当にそのときを迎えてしまってみると、そうか、そういうことだったのかと――さっきあなたもおっしゃっていたように――ああ、そうなったのだなあ――でも、私は、いつかそうなることをずっとわかっていたし、知っていたし――だからこそ、あんなにも……」

ヴァレリウスは口をつぐんだ。そして、ゆっくりと深く息を吸い込み、気持を落ち着けた。

「さあ、ここを片付けてしまいましょう。――それに、あなたは、そろそろリンダさまのお部屋にいってさしあげたほうがいいのでは。――あのかたこそ、身も世もなく悲しんでおられますからね……スニがつききりでいるとはいうものの。本当に、スニの目ざめるのが、間に合ってよかったですね」

「あのかたはなんとか気丈にしていようとしておいでになるわ」

悲しそうにリギアはいった。

「それを見ているのが私はとてもつらいの。……それに、それを見ていると、なんだか、私のほうが崩れてしまいそうで……そうしたらきっと、リンダさまはもっと気丈にしておられるのに、力を出さなくてはならなくなるわ。……なんだか、いまは……私、また、本当に身の置き場のない気持がしているの。きっと父がきてもそう思うんだわ。私――私本当にもう、パロの人間ではなくなってしまったのだなという……そんな妙な気持がするのよ……」

「ですから、スカールさまのもとへおいでになることですよ」

優しく、ヴァレリウスは云った。

「なんでしたら部下の魔道師たちに命じて、スカールさまのおいでの場所を探させますよ。……まだ、草原にまではお帰りになっていないか、それとも——いや、だが、あのイシュトヴァーンとの一騎打ちがあってから、もうこのパロ内乱に介入するのはとことんいやけがさして、草原までお戻りになってしまったかな。それもダネインで確認すればわかるでしょう。——少し、待っていらっしゃい、リギア姫、私が、スカールさまの現在地を確認しますから」

「………」

リギアは力なくうなづいた。

「なんでしたらそこまで、小さな隊を作ってお送りします。——私とても、かつて——かつて愛していた姫君に、安全で幸せなところにいていただきたいと思うくらいの気持ちは……ありますからね」

「有難う、ヴァレリウス……」

リギアは悄然と立ち上がった。

「すみません、ちょっと休んでくるわ……なんだかとても、疲れてしまって……」

「ずっと、手伝ってくださっていたのですから」

ヴァレリウスは相変わらずやさしい口調でいった。

「ゆっくりお休みになっていて下さい。もう八分通りすんでいるんだし。どちらにしても本葬というようなことが出来るかどうか――いったんは、マルガにおかえりになっていただき、それから……それから残ったものたちで相談しますけれどもね。でも残ったものといっても――このほどの奇襲でほとんど、壊滅状態ですから……サラミス公ご兄弟と、フェリシア夫人と、ルナン侯と……それに、お怪我はしておられるが、ワリス侯と……もう、そのくらいでしょう。神聖パロに残っているのは……リンダ陛下にそのようなご心労は極力、おかけしたくありませんしね」

「そうやって、あなたひとりで背負ってゆくつもりなの？」

思わず、リギアはつぶやいた。

「そんなふうにして、自分を追いつめて――それが、あなたにとっては、そうしているほうが気が楽なの？　神聖パロは……これから、どうなるの――？」

「そんなことはまだ、なかなか考えられませんけれどもねえ」

いくぶんそっけなく、ヴァレリウスはいった。

「ただ、いろいろと……とにかく、マルガもひどいことになっていますから……あの奇襲の後始末だってまだまったくすんでいないままなんですから。いまのマルガに、その上、このような悲しみと負担をかけるのはとても辛いのですが……といって――フェリシア夫人とサラミス公は、サラミスに陛下をお引き取りして葬儀を、と主張しておられますが、それでは……あれだけ、ゆかり深かったマルガの人びとに申し訳がたたぬ気がいたしますし……」

「そう……」

「いずれにせよ、グイン陛下にもご相談してみようと思っています」

ヴァレリウスは云った。

「なかなかどうして、これからが忙しくて目がまわるようなことになるだろうと思いますよ。……なんといっても、パロ内乱の立て役者、すべてのみなもとはあのかたであられたんですから」

2

夜に入ると、すっかり、仮葬儀の準備も終わり、また村はひっそりとした。他の家々もすべて、可能なかぎりあけわたされて重要人物たちの宿舎とされ、ケイロニア軍の司令部も、ゴーラ軍の司令部も、そしてマルガからやってきた悲しみにうちのめされた神聖パロの生き残りの重臣たちも、それぞれの宿舎に入った。グインの申し出で、ヤーナの周辺の警備はすべてケイロニア軍の担当となった。

「ヴァレリウスさま、少しお休みになりませんと……それに、お食事をおもちしましたので……」

小姓が入ってきて、そうした手はずすべてできりきりまいをしていたヴァレリウスにためらいがちに云ったが、ヴァレリウスは鼻であしらった。

「食事なら、魔道師の丸薬ですませたし、もう少ししたら寝るから心配しないでくれ。それよりも、もう、リンダさまはお部屋にひきとられたのか？」

「はい。さきほど、リギアさまと、ルナン侯がおいでになったあと、フェリシア夫人ともども、お部屋のほうへ……」

「じゃあ、いまは、あちらは静かなのだな。わかった。ちょっとそちらにゆくから、一人にしておいてくれ」

小姓が出てゆくと、ヴァレリウスはふうっと溜息をついた。

（じっさい、なんだか忙しくて忙しくて――ゆっくり、あなたと、お話をかわしているひまさえもありませんよ……）

ヴァレリウスはつぶやいた。

（いつになったら、この騒ぎは終わって、世間様が私のことなど忘れてゆっくりと、ひとりきりで、あなたとあてどもなく思い出話をしていられるようにしてくれるんでしょうね。……じっさい、あなたはもう、しずかにおやすみになっておられるからいいけれど、私はなかなか大変ですよ――たいへん）

ぶつぶついいながら、彼は、両側をびっしりと、ロザリアと、ルノリアと、そしてフェリア、ユーフェミアなどで飾りこまれた廊下を通って、奥の寝室へ入っていった。

（ひとつだけ……こういったら呆れたり、怒ったりされそうですけれど……あなたが、そうしてゆっくりやすんでいて下さるので……私のほうはずいぶんと、楽になりましたけれどね。――これはもう、申し訳ないけれど、あなたのことだけがいつも、一番私は気になってしかたがなかったので――あなたがそうしていてくださると、とても……肩の荷がおりたようで、ずいぶん……）

「何をしてる」

だが、燭台にともされたろうそくのあかりがゆらめいている寝室——奥の寝台に、ここにも花をびっしりと並べて亡きひとが眠っている寝室に足をふみいれた瞬間、ヴァレリウスの声はけわしくなった。

「何をしている。カイ！」

「あ……」

カイははっとしたようにふりむいた。かれは、いままさに、寝台の前に両膝をつき、祈りをすませ、その手にしていた短刀を、おのれの胸にひと思いに突き立てようとふりかぶったところだったのだ。

「ヴァレリウスさま」

だが、べつだん、悪びれるようすはなかった。カイは、ヴァレリウスを見上げて、いったん短刀をとりおとしたものの、また拾い上げてほほえんだ。

「申し訳ございません。——不調法なところをお目にかけました」

「この上、用をふやされてはかなわん」

ヴァレリウスはむっつりと云った。

「おん前でともに、と願うお前の気持ちはわかる。だがなあ、やっと花もきれいに並べたんだ。お前の血がかかったりしたら、またすべてやり直しになる。もう余分の花も急場では取り寄せられないし、すまないが、もうちょっと別の場所で我慢してくれないかな」

「ああ」

カイは苦笑した。

「それは、心づきませんでした。申し訳ございません」

「ちょっと待ってくれ。ろうそくのしんを切ってさしあげないと」

ヴァレリウスは、寝台の両側を守るように並べられている燭台の、ゆらめくろうそくのしんを慎重な手つきで切った。

「お前もなあ、まだ若いんだから……」

なんとなく、かつてのひょうきんさをしのばせる口調で、ヴァレリウスはつぶやいた。

「何も、そこまで思い詰めなくても……まあ、べつだん、そう決めたというのなら、止めはせんけれどもなあ。……その気持はわからんでもないし」

「いずれにせよ、わたくしは――モース先生から、次にナリスさまに黒蓮の粉をお渡しするときには、こういうこともありうる、と考えて、よく考えて決断するようにと――いま、ナリスさまはとても黒蓮の粉の使用にたえられるおからだの状態ではないので――ただ、もしも何かで、あまりにお痛みが激しく、もう、我慢できないとおおせになるようなときだったら、それもやむを得ないだろう、というようなお話も――ずっとうかがっておりましたので……」

カイは静かに云った。彼の前には、かれがずっとナリスのために使っていた、銀の吸呑みのカラム水入れがきちんとそなえるようにおいてあった。

「ナリスさまのご命令ではございましたが――私としては、大切なアル・ジェニウスがどうなるかとあらかじめ知りながら、そのようにいたしたことで、そのときから――自分は、主人殺しの大罪をおうことになるのだ、と存じておりましたから……もとより、そのときから、覚悟のほどは――」

「お前、いくつになった、カイ」

「二十一歳にあとひと月ほどで」

「まあ、なにも――そこまで責任を感じることもないとも俺は思うけどな。まあ、それはお前の決めることなんだから……」

「ええ」

カイは静かに、だがはっきりといった。そして、そのまま、銀のカラム水入れをひろいあげ、短刀をもとどおりさやに差し込んでベルトにつるし、つとナリスの寝台の掛け布のわずかな乱れを直すと、かるく会釈して、そっと出ていった。

「まあ――それも、いいさ。それはそれで……お前の人生だからな」

ヴァレリウスは低くつぶやいた。そして、そっと寝台に向き直った。

「よく、おやすみになれていますか。ナリスさま……」

そっと、優しくささやく。寝台の上には、マルガから運ばれてきた、ナリスの愛用していた錦織の掛け布が、きのうまでのものにかわってかけられ、そして、枕の周辺までも花に包まれていたので、その花々のあいだからひっそりとのぞいている小さな白い青ざめた顔は、その花のひとつででもあるかのようにみえていた。

「よく、おやすみのようだ」

ヴァレリウスは満足そうにつぶやいた。そして、注意深く、寝台の前に用意されていた没薬の香合に、あらたな没薬を追加した。

そのまま、彼は、つと寝台のうしろにまわった。誰からも見られぬよう、花々で埋もれた寝台の、頭板のうしろ側に入り、そこにそっとうずくまる。

(しばらく、ここで――こうしていさせて下さい。ナリスさま)

彼はそっとつぶやいて、冷たいひんやりする頭板に頰をおしつけた。

(もう、ここででもなければ――ゆっくりと一人になれる場所さえもなくて。――じっさい、いつになったら落ち着けるんでしょうね。いつもいつも、どうも私は貧乏くじばかりひいているような気がするなァ。――ま、いいんですけどね。それにも、馴れましたから……ただとにかく、誰もかれもがなんだかんだとやかましいのが参る。――ああ、ここは静かで……花と没薬の香りでいっぱいで……とても気持がやすらぎますよ……愛しいかた……)

そのまま、彼は、花と寝台の陰で、じっと目をとじ、動かなくなった。

ゆらめくろうそくの炎が、室を埋め尽くしたおびただしい数の花々をあやしく照らしだし、ジジジジ——と静かに燃えてゆく。室の外には魔道師たちが寝ずの番をつとめていたけれども、ヴァレリウスのはからいで、室の中はひっそりと無人のままにされていたので、室のなかにあるのはただ、静寂と、花と没薬の香だけであった。

どのくらい、時が流れたものか。

ふいに、廊下に何か人声がして、おそらくは、不寝番にたっている魔道師たちと押し問答をしていたのだろう。それから、扉がひらき、ひとの入ってくる気配がした。

「お待ち下さい。イシュトヴァーン陛下」

あわただしく、追いすがりながら声をかけているのはロルカとディランのようだった。

「なんだってんだ。俺が、ナリスさまのお参りにきたらいけないってのか」

けわしい声が答える。イシュトヴァーンは、一応、喪の略礼装に身をつつんでいた。

「いえ、そういうわけでは——しかし、でしたら、ただちにヴァレリウス閣下にご連絡してお迎えのご準備を……イシュトヴァーン陛下!」

「あんなやつなんかいらねえ」

イシュトヴァーンは荒々しく、だがさすがに、なきひとの前であることを考えたのだろう、彼としてはおさえた声でいった。

「俺は、やつにおくやみなんか云いにきたんじゃねえ。ただ、俺は——やつらが連れていっちまう前に……もう一回、ナリスさまに会いたかっただけだ。あしたになったら、ナリスさまをどっかに連れてっちまうんだろう」

「ロルカどの」

ディランが、かるく目配せをした。何か心話がかわされたらしく、そのまま、ロルカはすいと姿を消した。

そのまま、さまたげられなくなったので、イシュトヴァーンは大股に室のなかに入ってきて、寝台の前でびくっと足をとめた。

「ナリスさま……」

なんとなく、愕然としたように、低い声がその唇をもれる。

「ナリスさま……なんだか、こんなのって、俺は……」

「イシュトヴァーン」

声がかけられ、そっと入ってきたのは、ちょっとはなれた、自分にあてがわれた寝室にいたリンダだった。

いまはもう黒衣に身をつつみ、黒いヴェールをかけ、そのヴェールをかるくうしろにあげて、輝かしいプラチナブロンドの髪の毛を隠している。その顔はすっかりやつれはて、目にも頰にも涙のあとがあったが、声は静かで落ち着いていた。

「どうなさったの、もう、夜よ。……ロルカ魔道師が知らせにきてくれたけれど、一国の国王が、もうひとつの国の国王の逝去にさいして、おくやみにおいでになるような時間ではないわ」

「そんなの、時間だの、関係ねえだろう」

イシュトヴァーンは荒々しく答えた。

「だって明日の朝になったら運び出す相談をしてたじゃねえか、お前たち。だから――その前にどうしても、もう一回ナリスさまに会っておかなくちゃあ、って思ったんだよ、悪いのか、それが」

「そういうものではないのよ……」

リンダは小さな嘆息をもらした。それから、しょうがなさそうに、寝台の足もとのほうに寄った。

「でも――そのお気持ちはありがたく受け取らせていただきますわ。……ろうそくを手向けてくださるのならば、いま、わたくしがお受け取りしますわ。ゴーラ王イシュトヴァーン陛下」

「そんなんじゃ――そんなんじゃねえんだ」

イシュトヴァーンは一瞬、ひどく不服そうにつぶやいた。

それから、ふいに、ひどく苛々したようすで、首をふった。

「やっぱり、お前ら、パロの人間はどうしても好きになれねえ。——ナリスさまみたいな人が死んだなんていうおおごとだってのに、みんな、どう飾るの、何をどうするの、どこで葬式をどうするの、そんな話ばかりしてやがって、俺はなんだか、ずっともうむかむかしてならなかったんだ。お前らには、人間らしい感情、自然の気持とか、死んだひとを悲しむ気持ってのがねえのか。儀式、儀式、だんどりばっかりで——よくまあ、そんなんで、生きてられるな」

「イシュトヴァーン。あなた、酔っているのね」

リンダがとがめた。その紫色の瞳は悲しそうにまたたいた。

「いつもこんな出会いかたばかりで——このあいだの会見のときもそうだったけれど——あなた、そんなにお酒ばかり飲むようになったの？　なんだか、あなたは——ずいぶん変わってしまったのね」

「そして、お前もな。神聖パロ国王アルド・ナリス陛下の王妃リンダ・アルディア・ジェイナ陛下」

皮肉な言い方でイシュトヴァーンは云った。

「お互いもう、昔話のことなんか忘れようぜ。お前だって、未亡人になったばかりなんだし、俺は——俺は……」

「あなたは、何？　イシュトヴァーン」

リンダはひるむようすもなく云った。もうすでに、すべての涙を泣きつくし、愛惜にくれつくしたかのように、その青白いやつれたおもては、疲れはてて静かだった。

「どうして、私にそんなふうに突っかかってくるの？　私は——あなたにうらみごとなどいうまいと——こんなさいだし、ナリスの前なのだから……うらみごとなどというはしたないまねはもうするまいと必死にこらえていたのよ——昼間、おまいりにきてくれたときだって。あなたの顔をみただけで、いいたくてたまらぬことが噴き出してきてしまいそうだったけれど——皆の前でもあったし……」

「だから、そういうことを、思いのたけがあったら、ぞんぶんにぶつけあったらいいじゃねえかと、俺はいってんだ」

いくぶんろれつのあやしい口調でイシュトヴァーンは云った。

「お前らがそうやってうらめしげな、いかにも、あなたのせいよ、イシュトヴァーン、あなたがナリスさまを人質にとってマルガから連れ出したから、こんなことになったのよ、といいたげな非難にみちた顔つきでじろじろにらみつけるたんびに、俺は腹んなかで、云いたいことがあればはっきり云ったらどうだ、てめえら、と怒鳴りたくて怒鳴りたくてむずむずしてたんだぜ。そうだろう。お前ら、神聖パロのやつらはみんな、俺がナリスさまを殺したと思っていやがるんだろう」

「私は……私はあなたと同じような見苦しい言い争いなんかしたくないわ」

リンダは激しく唇をかみしめた。

「だから、何も云わないわ。——でも、あなた自身に多少なりともその自覚があるから、そういうことばが出てくるのではないの。マルガの奇襲さえなければ——そしてあなたがあんなに乱暴に、強引に馬車なんかにのせて、ナリスを連れ出してひきまわすことなんかしないでくれたら……こんなことにはならなかったんだわ。それは、思ってるのどうのって話じゃあない、ただの事実じゃないの」

「そんなに、容態が悪いなら、そうだと云えばいいじゃねえか」

イシュトヴァーンはうしろめたい苦しみをかき消そうとするかのように怒鳴った。リンダは眉をしかめた。

「ナリスの前なのよ。ここをどこだと思っているの——怒鳴らないで」

「誰も、そんなこと、俺に云わなかったじゃねえか。——馬車に乗せて連れまわしただけでそんな、いのちにかかわるくらい、状態が悪いなんて、誰ひとり、俺に云わなかったじゃねえか」

「そんなことはないと、云ってたわ——ヨナだって、カイだって、モース先生だって、みんな、これ以上無理をしたらおいのちにかかわると、何回だってあなたに云ったと、みんな云っているわ。だのに、あなたは聞く耳もたずに連れ出して――あのひとは、最初に足を切断しなければならなくなったときには、寝台のかたわらをそーっと気を付けてゆらさないように歩くだけでさえ、その振動が痛くて苦しくて気が狂いそうに苦しまなくてはならなかったほどだったのよ。――そのあと、少しづつではあっても、ずいぶんよくなりかけてきていたのに、そのたびに、いろいろなことがあって――どうしても健康を取り戻すことが許されないかのように、たんびにこのからだには大きすぎる試練をうけて――あの伴死にしたって、そしてマルガ奇襲にしたって……このひとは、そんなことのできるからだではなかったんだわ。マルガで静かに、ひっそりと私が看護して暮らしているときには、ずいぶんとよくなって、なんだったらそのうちに訓練を続ければ片足がなくとも松葉杖なり車椅子で動き回れるようになるかもしれないとも、みんなが期待をかけていた。――だのに、クリスタルに戻るために服毒したりして――無茶ばかりして――そうよ、本当にこのひとは、無茶ばかりしてきたわ。あなたも、それをけしかけて――しかも、さいごにとどめをさすみたいな、こんな……」

「俺が何をしたっていうんだ」

不安になった子どものように、血相をかえて、おもてをひきつらせてイシュトヴァーンは怒鳴った。が、また、さすがに声を小さくした。

「なんだって、きさまらは、俺をそんなふうに責め立ててばかりいるんだよ。俺がナリスさまを殺したとでもいいたいのか。俺がマルガから馬車で連れだしたことがナリスさまのこんなに急にこうなった原因だとでもいうのか。ええ」

「私たちは——みんなそう考えていてよ。ゴーラ王イシュトヴァーン」

リンダは斬りつけるようにいった。

イシュトヴァーンはびくっとした。そして、激しく目を怒らせてリンダをにらみつけた。リンダはまっこうからその目を受け止めた。

「だから、人質にならなら私がなるから、あのひとをかえしてとあれほど頼んだわ。——このひとには、こんな試練は耐えられないのだと何回もいったわ。どれほど私たちがみな、ナリスのからだのことを心配していたか——だけど、とうとう、こんなすがたにして返してくれて——まだ、早すぎたわ。まだ、生きていてほしかった。たとえ、どのようなすがたになっても、もっと、上体をおこすことさえかなわぬようなすがたになろうとも……それでも、私は生きていてほしかった。できるかぎり、一日でも二日でも長く……長いあいだ引き離されていなくてはならなかった分……少しでも、一緒にいられるときを許してほしかった……」

リンダは嗚咽をこらえるように、手巾を取り出してそれを握りしめ、口におしあてた。

イシュトヴァーンはけわしい目でそれを見つめた。

「だからって、俺が——俺がこんなことになるって、知ってるわけがねえだろう！」

彼はなんとか声をしずめようと苦労しながら、激しく云った。彼の顔は真っ赤に染まり、いまにも叫び出しそうになるのを必死にこらえているかのようだった。

「俺が——俺がナリスさまを殺したいと思っていたとでも、思ってるのか、お前らは！　俺は——お前らに何がわかる、俺は……本当は、ナリスさまがこんなことになるなんて——一番、驚いて——そうじゃない、悲しい……いや、どうしていいかわからねえのは、俺なんだぞ！　お前らなんか何もわかっちゃいねえんだ。お前らには……俺がナリスさまに……どんな……」

イシュトヴァーンは激情のあまりことばを続けられなくなった。

「あなたは、ナリスをこんな目にあわせながら——それでも、ナリスのためを思っていたとでもいうの」

リンダは叩きつけるように低く云った。

「あれほど、かえしてくれと私たちが辞を低くして頼んだのをむげにつっぱねておきながら——イシュタールへどうしても連れ去ると意地を張っておきながら……あのとき、最初の会見のとき釈放してくれていればまだこんなことにはならずにすんだかもしれないのに——だのに——」

「うるせえなって、云ってるだろう！　大体、お前は、てめえばかり悲劇の主人公みたいな面をしやがって、俺だって——俺だって、国もとじゃあ、てめえのかみさんがくたばったという知らせを受け取ったばかりなんだぞ！」

「だったら、少しは、私の気持だって、わかるはずだわ！」

リンダは叫び返した。

「そうでないなら、あなたは——配偶者とは名ばかりで、政略結婚で、愛してなんかいなかったんだわ、アムネリスのことを。もし私があなたなら——ちょっとでも愛していたら、こんなところでぐずぐずなんかしていないわ。もう、とっくに——もう遅いかもしれないけれど、ちょっとでも早くそばにいるために、イシュタールめざして単身でだって馬をかけさせているわ。あなたは変わってしまった。私の知ってるあなたはこんな人じゃなかった。勇敢で、情熱的で、やんちゃで、でも魅力的で、そのあなたを——そのあなたを私は——だのに、いまのあなたは……なによ、いまのあなたなんか、ただの酔っぱらいじゃないの！」

「酔っぱらいで悪かったな、このがみがみ女」

イシュトヴァーンはうめくように云った。

「お前なんかに何がわかるもんか。俺はナリスさまを——どんなに、俺が、ナリスさまに憧れてたか——どんなに……」

「あなたは、そんなことをいうの」

リンダはむしろ痛切に、泣きながら叫んだ。

「あなたが、そんなことをいうの？――ナリスをこんな姿にして返しておきながら……あなたは、ナリスを好きだったなんていうの？　よくも、そんなことが言えたものね……ナリスはもう、かえってこないのよ――あなたのせいよ。あなたのせいなんだわ」

「そんなに、俺のせいか」

イシュトヴァーンは怒鳴った。そして、たまりかねて立ち上がった。

「そんなに何もかも俺のせいにしたいのか。俺がナリスさまを殺したことにすれば、お前たちがナリスさまを守れなかったことだの、クリスタルを失ったことだの、みんなそれを俺におっかぶせられると思ってるだけなんじゃねえか」

「何てことを……」

リンダは激情のあまりのどをつまらせた。

「よくもそんなことを――なんて人なの。あなたがナリスをマルガからさらって、いためつけて、弱りきっていたナリスのいのちをちぢめたのよ。あなたが殺したのじゃないの。そうでないなんて言わせないわ――どう申し開きができるというの。云ってごらんなさい。云ってごらんなさい、イシュトヴァーン！」

「なんだと、この――」

「私を打つつもり。なら、そうすればいい。私はあなたなんか怖くないわ。あなたなんか――」

「リンダ」

落ち着いた声をかけられて、はっとリンダは息をのんだ。イシュトヴァーンも思わずちょっと鼻白む。

戸口から、入ってきたのは、おろおろしている魔道師たちをひきつれたグインと、それにヨナのすがただった。

3

「何をしている。——べつだん、俺は、死者への礼儀ばかりにこだわるつもりもないが——それに、お前たちが、互いをみると、いまのおのれの立場など忘れてしまい、あの遠いノスフェラスの砂漠を四人で逃亡していたときのような気持になるのだろうということもわかるが、それにしても、それはナリスどののご前でやる話でもあるまい」

「誰だ、こんなやつを援軍に呼んだのは。——きさまだな、この魔道師のガーガーども」

むっとして、イシュトヴァーンは怒鳴った。

「俺が何をしたってんだ。——だから、俺は、静かにナリスさまにお別れを言わせてくれって頼んだだけじゃねえか。なんだって、こんなことにしちまうんだよ。お前らはみんなで、よってたかって」

「怒るな、イシュトヴァーン」

グインはいささか同情的にいった。

「ここはパロだ。そしてパロには、石の都のしきたりとでもいったものがあるのだ。そのしきたりのなかには、他国の国王が、供回りもつれずに、まもなく正式な葬儀があるということもわかっているのに、非公式にこうして遺骸に別れをつげにくる、などという場合の対応は、含まれておらんのだ」

「俺はただ、連れてゆかれちまう前にもういっぺん、ナリスさまに会いたいと——ふたりだけで会いたいとそう思っただけだ。誰もよけいなことをいったり、じろじろ見張ってるやつらになんか邪魔されずに」

イシュトヴァーンは、グインをみると、いくぶん頭が冷えたように見えた。そして、突然、子供のように涙をこぼした。

「みんなして、俺を遠ざけておきやがって——これはパロのことだから、神聖パロのことだからって——神聖パロのやつでなくちゃ、ナリスさまのことを悲しんじゃいけねえってのかよ。お前らよりずっと前から——俺は、ナリスさまのことを……よく知ってたんだぞ……」

「それはわかる。お前の気持ちも、よくわかる、イシュトヴァーン」

子供でもなだめるように、グインはいった。

「それに、お前は——お前自身がまず、もしかしてこの無謀な奇襲とそれに続く逃避行に連れ出したことが、ナリスどのの直接の死因ではないか、少なくともそのひとつではないか、という自責の念でいてもたってもいられぬのだろう。——お前は、そのように自責を感じたときが一番、そのように狂暴に——といっては何だが、ひとに対してやみくもにつっかかってくるやつだからな。だが、それは危険なくせだ。確かに、お前のその行動が、ナリスどのの死をもたらした、とは云わぬまでもはやめたのは、事実だと思うぞ。だが、お前は、それを認めることができるか？　出来るのなら、そのように、酒を飲んで荒れ狂ったり、思いついてナリスどのにわびにきたりしなくてもすむようになるぞ」

「わびに——？」

驚いてリンダは顔をあげた。グインはうすく笑った。

「そうだ。気づいていなかったのか。——イシュトヴァーンは、お前たちに云われるまでもない、自ら、おのれが無理をさせたせいで、ああなったのかと気も狂わんばかりに後悔しているのだぞ。ただ、この男は、それをこのようなかたちでしか示すことを知らんのだろう」

「そんなの……」

リンダはくちびるをかたく結びしめた。

「そんなことを、いまさら云われても……ナリスはもうかえってこない。かえってこないのよ……」

「それはそのとおりだ。だがまた、お前も、イシュトヴァーンがナリスどののために悲しみ、悔いている、ということをまで否定することはあるまい。確かにナリスどのはお前の良人だが、同時にイシュトヴァーンにとってはかけがえのない友でもあったのだと思うぞ。……イシュトヴァーンは、このようにしてしか、《悲しい》ということを表現できないのだ。そのことも、少しだけ、察してやれ」

「そんな……」

リンダはどう答えたものかとためらうようにまた唇をかんだ。

「俺のせいじゃねえ」

強情に、イシュトヴァーンは言い張った。だがその声はだいぶん小さくなっていた。

「俺は——俺は、こんなことになるつもりじゃ……だから、ちゃんと医者だって一緒にきていいっていってやったし、馬車だって、えらい贅沢なでかいのを調達してやったし——俺の兵士たちには食い物がなくたって、ナリスさまの周辺だけには、ちゃんと必ず食い物も飲み物も——云いたい放題にいうことをきいてやってたし、それに——」

「イシュトヴァーン」

優しい、グインの声が、イシュトヴァーンの、嗚咽にかわりはじめた声をさえぎった。

「お前が最善を尽くしたことは、ナリスどのにはちゃんと伝わっているさ。ナリスどのは、だから、いつもお前には、何も敵対されなかっただろう」

「……」

「うらみごとをいったり、早くかえしてくれとか、からだが辛いとかも云われなかっただろう。——ナリスどのは、すべて、自分の責任で選び、行動し、決断されたのだ。お前は確かにヤーンの運命を代行する役になってしまったかもしれん。だが、それを受け入れたのはナリスどのだ。ナリスどのは、その気になれば、単身お前のところから脱出することはいつでもできたのだよ」

「……」

「可愛想に」

グインは奇妙な、深い調子の声でつぶやいた。そのトパーズ色の目は、ふしぎな悲しみのようなものにかげっていた。

「お前は——お前たちは、まだ本当に子供なのだな。……なぜかこのごろ、そんな気がしてならん。——俺自身とても、何を知っているというわけでもないが——はたから見ていると、お前たちは本当に、わけもわからずしゃにむに石の壁に頭をぶつけあっているように見える。……何もお前たちだけが特別に子供じみたふるまいをしているというわけではない、おそらくは、ひとの子というのは、そのようなものなのだろうけれどもな」

「相変わらず、わかったようなことを云いやがる」

イシュトヴァーンは云った。だが、その声はずいぶんと静かになっていた。

「ともあれ、もう夜更けだ。リンダ、お前の気持ちもわかるが、イシュトヴァーンとてもナリスどのの死をいたむ気持には偽りはないのだ。それをやみくもに責め立てることなく、別れを告げる一刻を与えてやれば、それでイシュトヴァーンの気もすむだろう。ここは俺にまかせて、もう、お前もやすんではどうだ。お前こそひどくやつれて、少し休息が必要なように見えるぞ」

「本当は、一晩じゅう、ここにいさせて、と頼んだのよ」

疲れきったような声でリンダは云った。

「でも、みなが——私がここにいてはいけないというの。どうしてかしら——私、そんなに感情的に、おろかしくふるまっている？　ずいぶん、もう、涙もかれはてるまで泣きつくしてしまったし——ようやく、少しだけ、これは本当のことなのだと、飲み込みたくはないけれど、飲み込みはじめてきたところなのだけれど。いいえ、でもまだ、認めることはできない——認めてしまったら、何もかも崩れていってしまいそう。本当に、私がかわってあげることができればよかった。——私はまだ、このひとに、何もしてあげていなかったのに——」

「ヨナどの」

グインは影のようにひっそりと魔道師たちのあいだに立っている参謀長にむかって云

った。

「リンダ陛下を、お部屋にお連れして、お休みになるよう、させてやってくれぬか。おぬしでは出来ぬというのなら、女官なり、スニなり、誰かリンダを落ち着かせてやれるものに引き渡してやってくれ。ここに詰めていさせたところで、気分がたかぶるばかりで、なかなか悲しみがいえる役にも、事実を受け入れる役にもたたぬだろう。所詮は、時に解決してもらうほかはない——このようなことはな」

「はい」

ヨナはまた、ひっそりと無口な、青白いいつものかれにほとんど戻っていた。まだその目は腫れ上がっていたし、いつもよりさらに口をきかなかったが。

彼は、ロルカたちをうながして、リンダの前にそっと一揖し、リンダを立ち上がらせた。リンダはひどく悲しそうな、わななくような目で寝台のほうをふりかえったが、そのままさからわずに大人しく出ていった。

「魔道師の諸君」

グインが声をかけて、さいごに出てゆこうとするロルカとディランを呼び止める。

「はい」

「神聖パロ側のしかるべき人物がお出迎えを、という気持はじゅうじゅうわかるが、いまのリンダには、その役割はたぶん無理だ。——また、何かあれば、こんどは最初に俺を呼んでくれ。そのほうが早い」

「かしこまりました。——申し訳、ございません」

「あやまるようなことではない。行ってくれ」

魔道師たちが出ていって扉をしめると、室のなかは、グインと、そしてイシュトヴァーンだけになった——むろん、ヴァレリウスは別である。

「さあ、俺はもう、何も邪魔をせぬゆえ、思う存分、ナリスどのに別れを告げるがよい」

グインは、おだやかにいった。そして、室の隅に用意してあった椅子のほうにひきさがった。

イシュトヴァーンは、むしろ、そういわれると怯えたようにあたりを見回した。だいぶ、酔いもさめてきたようでもあった。

「なんて、たくさんの花だ。くらくらする」

彼は低くつぶやいた。

「沿海州のと……きっと、違うんだろうな……お参りする方法は。俺の知ってるのでいいんだろう、グイン」

「ああ」

「じゃあ……」

いくぶんおずおずと、イシュトヴァーンは寝台の前にもうけられた祭壇のところに進み出て、そしてそっと両手を組み合わせた。そして、目をとじ、何か低くつぶやいていた。それから、近くにあった花を一輪ぬきとって、祭壇の上にたむけた。

「なあ——グイン」

おぼつかなげな声で、彼はささやいた。さっきとはうってかわった、寝ているひとの永遠の眠りをさまたげることをおそれているかのような、ほとんどうやうやしい声だった。

「ああ」

「俺……じゃねえよな——？　俺のせいだけじゃねえ……俺が悪いんじゃねえ……よなあ……？」

「ああ」

静かにグインは答えた。

「お前のせいだけではない。お前だけが悪いわけでもない。また、お前が直接手を下して、ナリスどのをこのようなすがたにしたわけでもない。——また、このようなすがたといったところで、それが何か、いけなかったり、不吉だったりするわけでもない。これは、すべてのひとの子にとって、遅かれ早かれやってくる、きわめて自然なことにすぎないのだからな」

「なんだか——どうしても、信じられねえんだ」

イシュトヴァーンは、ひどくおそるおそるといったようすで寝台に近づいて、そっとナリスの青白い、しずかに目をとじた美しい顔を見つめながら、息を殺してささやいた。

「なんだか、あんまり急だしさ——リンダもいってたけど……それに、なんだか、こんなことって……絶対、ありえないような気がしてたから——ナリスさまがこんな——だって、からだがどうこうっていったって、まだ——そんなに、年とってるわけでもねえし、それに——そのすぐ前まで、俺と……話をしてて、ちゃんと……なんともなく、ちゃんと元気そうに話してたんだからさあ……俺、なんかまるで——魔法にでもかけられてるみたいな——きっとまた、これは何かの変な陰謀か、わるだくみかなんかじゃねえのか、っていうような気がして……」

「そうではない。残念ながらな」

静かにグインはいった。

「アルド・ナリス陛下は、本当にみまかられたのだ。これは佯死でもなければ、陰謀でもない。こしらえごとでもない。——だが、これは、ヤーンの運命というものだ。お前とても、大切な人の死をたくさんみとってはきたはずだろう。——アムネリスのことも、もう耳に届いているはずだ」

「あんたは、なんだって、そうやって何もかも——この世におきる何もかもを仕切ってるみたいな顔をするんだ」

一瞬、なんとなく反発を感じてかっとしたように、イシュトヴァーンは云った。だがまた、声を落とした。

「アムネリスのことは……なんか、知らせできいただけだから、なんかまるきり、遠い世界のひとごとみたいな気がするな。それに――それに俺、こんなことといったら、あんたには……なんて思われるかわかんねえけどさ。なんだか、アムネリスのことなんか――生まれたガキのことも入れてな……ナリスさまの半分も、ショックじゃねえような気がするんだ。……なんか、まあ、そういうこともあるだろうっていうか……本当に正直にいっちまうとさ……厄介払いだ、とまでは……思ってはいけねえんだろうと思う、ひでえ話だと思うから――でも、俺、あの女……こうならなかったら、いつか、俺の手で殺してたんじゃねえか、って思うときがあってさ……」

「………」

「その子供ってのも……帰って、見てみねえとなんかまるきりわかんねえけどさ。てめえの子だなんて、実感がもてるかどうかもわかんねえ。そんなもの――出来たってきかされたとき、俺、思わず、俺の子なのか？　って叫んじゃったんだよ。で、アムネリスにえらく怒られたんだけどな。――なんか、相性が悪いっていうのかなあ……俺、さいごは、あの女、なんか見るのも腹がたつくらいイヤになっててさ――確かに、俺は酷いことしてんだろうけどな……やつに……」

「お前は、その相手に酷いことをしたと思うと、おそらくその自責で一番、相手に対して残酷になるのだと思うぞ」

グインは静かに云った。

「お前は、自責、という感情に一番弱いのだ。――それから逃れるためにお前は暴れ出してしまう。だがな、イシュトヴァーン、いつもいつも、そうやっていたところで――夜の悪夢のなかでまでは、それから逃げられるものではないぞ」

「夜の悪夢――」

ぎくりと身をふるわせて、イシュトヴァーンは云った。いうまでもなく、充分、そのことばは、イシュトヴァーンの胸を的確に差し貫いたのだ。

「なんだよ。――なんでそんなことというんだよ」

「人間にとってもっとも幸せなのは、夜、良心の呵責を感じることもなくぐっすりと眠れることだ、と俺は思うからだ。俺は、ずっと、気にしていたのだよ。お前にはわびなくてはならぬことがあるとな」

「わ――わび――あんたが俺に？」

「そうだ。――あの、はるかなノスフェラスのカロイ谷での、マルス伯爵の青騎士団を壊滅させたときの話だ。――あの一件をあばきたてられ、お前は裏切り者として裁判にかけられて、それがモンゴール制圧のきっかけになったのだそうだな。それもまあ、その後のなりゆきを見ていれば、ひとつの運命の曲がり角だったのだとは思う。だが、それとは別に、俺もまた知らずして、ヤーンの代理をお前に対してつとめていた。お前がナリスどのに対してはからずもそうなったようにな。——だが、俺は、自責の念で夜中にうなされることはない。俺は、ただ、お前には、すまぬことをした、ひとつ借りがある、と思うだけだ」

「まあ……あれは……だから、しょうがねえよなあ——あのときは、ああしなきゃ、逃げられなかったんだしさ。——まあ、まさかあんときに、アムネリスと結婚するなんて、思いもしねえし……」

「そのとおりだ。それがヤーンの運命というものだ。——だから、お前がナリスどのに反乱をけしかけ、またマルガを奇襲し、最終的にナリスどのが陣中に病没されることになったというのも、それはそれで、ヤーンの運命というものであり、それに対してお前を責めるのは、リンダがおのれの感情をおのれでもちこたえられぬだけ幼いからだ、というだけの話だ」

「——あんたは、俺を慰めてくれてんのかな」

奇妙な声で、イシュトヴァーンはつぶやいた。

「俺は……本当は、一緒にイシュタールにきてほしいんだけど、ってナリスさまにいったんだよ。――ナリスさまは、そんなことをしてもしょうがないって笑っていたけど――俺は、べつだん、人質として利用したりとか――それだけのつもりじゃなかったし、ナリスさまも、それは――」

「そう、ナリスどのは、よくものごとをわかっておられた」

静かにグインは云った。

「もういいだろう。ヴァレリウス――ちょうどよい折りだ。イシュトヴァーンもかなり落ち着いてきた。出てきて、話をせぬか。多少、内密な話もしたい」

「………」

ヴァレリウスは、ゆっくりと、寝台の頭板の後ろから立ち上がった。

そして、こちらにまわって出てきながら、イヤな顔をした。

「いつから、気づいていらしたので？」

「はじめからな。というか、ロルカたちが、俺のところに、イシュトヴァーンが寝室にやってきたこと、ヴァレリウスに応対してもらおうと探したのだが見あたらぬこと、をいいにきたので――それでまずはリンダに云いに云ったのだろうが――俺としては、おぬしが一番いるのが自然な場所はここだろうと――ロルカたちにも見つからぬよう、結界を張ってでもいるのだろうなと思っていただけだ」

「なんだ、ひとの話を盗み聞きしやがって」

たちまち、イシュトヴァーンが喧嘩腰で言いかけたが、グインはとめた。

「もうよい、イシュトヴァーン。それよりも、せっかくこうして、誰も他の邪魔の入らぬところで、それぞれに三国を代表するものとして密談できるのだ。しばし、俺にも時間をくれぬか」

「密談って……」

「ヴァレリウス。——神聖パロは、このののち、どのようにする心づもりだ？」

グインはイシュトヴァーンにはかまわず、ヴァレリウスにたずねた。ヴァレリウスはうなづいた。

「いずれは私のほうからも、そのお話をしに、陛下のもとにうかがうつもりでおりました。——あす、ともかくも、このようなさびれたところにお寝かせしておくわけにも参りませんので、私はアル・ジェニウスとリンダ陛下をお連れして、いったんマルガに戻ります。——ただ、マルガもまだ、奇襲の惨禍から立ち直っておらず、物資も思うにまかせません。——カレニアはカレニアで、領主の一族がほぼ全滅のうきめにあい、カレニア騎士団の犠牲もきわめて大きく、これまた疲弊しきっております。結局のところ、サラミス公を頼る以外にはないだろうと思うのですが、いったんはともかくマルガに落ち着いて——仮葬儀をどうするのか、最終的にナリスさまにどこにおやすみいただくことになるのか、それについては、またリンダ陛下のご意向などもございますので……たぶんこれから当分はいろいろと……」

「リンダも、時として感情的になるゆえ、大変だな、ヴァレリウス」

何でもなさそうにグインは云った。ヴァレリウスは黙ったまま、何も答えなかった。

「そして――それもサラミス公ご兄弟そのほかとご相談しての上、神聖パロ王国を、リンダ陛下が女王として継がれることになるのかを、決定することになると思いますが――事実上、私の考えでは、いま現在、神聖パロ王国は壊滅しておりますし――マルガ、カレニア、そしてその周辺の惨状を考えますと――いまここで、神聖パロ継承を申し立てたところで、民意が士気あがるとも思えず――」

「ナリスどののとむらい合戦をおしたててなおもレムス軍と戦おうにも、とむらい合戦といったところで、相手はゴーラになってしまうわけだしな」

「といって、ご病死であることも間違いございませんので――ゴーラ王の遠征軍あいてに、復仇を誓うというのも、いささか筋違いでございますし」

「そうだな」

グインはゆっくりと云った。

「どうだろう、ヴァレリウス。――リンダはおそらく大反対だろうが、このさい、おぬしのほうはもうだいぶん、気持が冷えて――というか、先日話したときよりは状況もかわっているだろう。このいくさ――つまり俺がいうのは、クリスタル奪還の戦のことだが、それを、ケイロニア遠征軍にまかせてはくれぬか」

「なんだって」

するどく云ったのは、ヴァレリウスではなく、イシュトヴァーンであった。

が、ヴァレリウスは、眉ひとつ動かさなかった。

「わたくしも、そのほかはあるまいと――神聖パロ軍というもの自体が、いまやほとんど分解状態である上、その唯一の象徴にしてまとめ役であるアル・ジェニウスもおいでにならなくなりました以上、もはやわれらがパロ内乱をひきついでゆく理由も器量も力もない、と思っておりました」

「それに、ことはパロ内乱ひとつの問題でないことは――ナリスどののご遺言をきいていたものたちには明らかでもある。俺がいうのはむろん、キタイ王との決着のことだが」

「はい……」

「神聖パロは、いったんこのいくさから手をひき、それをケイロニア軍にゆだねてくれるか。むろん、クリスタル奪還ののちには、クリスタルは正式にナリスどの――というか、そのご遺族にお返しすることを前提として俺は戦う。――また、レムス王の処遇その他についても、すべて、おぬしや、あるいは神聖パロ残党の判断をまつことにしよう」

「そうしていただければ、当方には、もう、何の問題も」

「そして、イシュトヴァーン」

グインは、ゆっくりとイシュトヴァーンに向き直った。

「おぬしは、国元で王妃が逝去、世継の王子が誕生という大きな事件をかかえてもいる。国への引き揚げはきわめて火急の要件であるだろう。——だが、おぬしがこのまま帰国の途についても、まんなかにはクリスタルも、またそこから進発したレムス軍も待ち受けている。ゴーラ遠征軍が、単独でそれをうちやぶり、無事にユラニアに到着することもむろん、おぬしにしてみれば勝算があろうが、しかしことは急を要するだろうし、また相手には、キタイ王の後押しもついている。——それを思えば、おぬしが一刻も早く帰国するためにも、ケイロニア軍ともどもにレムス軍にあたることは、それほど抵抗はないのではないかと思うが、いかがかな」

「え…………」

ぎくりとしたように、イシュトヴァーンはいった。ヴァレリウスはいくぶん皮肉っぽい目を彼にむけた。

「ケイロニア王グイン陛下は、ゴーラ王イシュトヴァーン陛下に、臨時の共同戦線を張ってはどうか、と申し入れておられるのですよ。おわかりにならないなら申しますが」

4

「なっ……」

イシュトヴァーンは、一瞬、深く息を吸い込んだ。

それから、不平そうに下唇を突きだした。

「だから、その話なら、俺はいいっていってんだろう。ずっと、云ってんじゃねえか——俺はそうしたいんだ、って。いやがってたのは、あんたらのほうだろう」

「というか、神聖パロは、いまだに、ゴーラ王と共闘など、どうしてもできない、という立場のままですよ」

ヴァレリウスが鋭く云った。どうしても、イシュトヴァーンに対しては、とげのある物言いになってしまうのをおさえられぬようだった。

「もしもこのようなことになっていなければ、グイン陛下がなんと説得されても、神聖パロのほうとしては、マルガをふみにじり、あれほど甚大な被害を与え、暴虐のかぎりを尽くしたゴーラ軍と結ぶことなど、まったくがえんじられなかったと思いますし——

いまも、それを受け入れるつもりはございません。だが、事実上神聖パロ王国が瓦壊したいまとなっては……私どもの感情とは別に、私たちはもう、それを——ケイロニア軍がゴーラ軍と共同戦線を張ってともに戦うのを、とどめる理由や立場はもうございませんですから……」

「そのかわり」

グインは強い口調でいった。

「それはゴーラ軍が帰国の途につくための一時的なものだ。それをもって、ケイロニアとゴーラの恒久的な和平条約、友好条約が締結した、とみなされては困る。これは、逆に、ケイロニア王としてあらかじめ確認しておくが、ケイロニアは、ゴーラの今回のやりかたに対しては非常に不信感も持っておれば、不快感も感じている、またそのマルガ奇襲の方法などは、裏の事情はどうあれきわめて非人道的なもの、ケイロニアの基本的な外交姿勢に大幅に抵触するものと考えている。これはケイロニア皇帝アキレウス陛下のご意向をうかがうまでもない——ケイロニア大元帥にしてケイロニア王でもある者として云うが、ゴーラとの共闘関係は、あくまでも、クリスタルを奪還し、パロ国内に平和と安定を取り戻し、中原をキタイの侵略という非常に危険な不安定要素から解放するまでの一時的なものだ。というよりも、たまたま帰国の途についたゴーラ軍がレムス軍と衝突するならば、ケイロニア軍もまたレムス軍と戦う目的をもって北上するがゆえに、偶々同じ敵と戦うこととなったのだと考えていただいたほうがよい。もしも、むろん、ゴーラ軍がレムス軍とのあいだに了解が生じて、レムス軍と合流するなり、あるいは和平を結ぶなりしたら、ただちにケイロニア遠征軍はゴーラ遠征軍を敵軍とみなし、それをも叩きつぶすべく総力をあげるだろう。そのことははっきりと伝えておこう。ゴーラ王イシュトヴァーン」

「………」

ふいに、まるでぬっとグインが室全体にひろがるほど巨大になったような錯覚にとらえられて、イシュトヴァーンは、一瞬息をのんだ。

いや、ヴァレリウスまでも、一瞬気をのまれて息を飲んだ。だが、それから、イシュトヴァーンは、まるでその圧倒的な重圧を全身ではねかえすかのように、肩をそびやかした。

「あんたは難しい言い回しばかしするから、よくわかんねえよ、グイン。——つまりは、俺がくにに帰るまでのあいだは敵とみなさねえし、レムス軍が出てくりゃ一緒に戦ってくれる、だけど、そっから先はまたもとのもくあみだぜ、っていいたいんだろう？　わかったよ。それで充分だし、俺だってじゃあゴーラ王として言わせて貰うが、ケイロニアとこれで最終的に和平条約を結んで味方になってもらって、ケイロニアのうしろだてでどうこうしようなんて気はまったくねえよ。——冗談じゃねえや。どうだって、そのうちあんたとはいっぺん——いや、何遍か、正面衝突することになるだろうって気が俺はしてるし、それまでにはもう、いまの俺じゃねえぜ。こないだの一騎打ちみたいにうまくいくと思うなよ。俺はあんたのおかげで、てめえに何がどう欠けてたか、ようくわかったからな。くにに戻ったら最初に俺のやることは、軍を編成しなおし、ケイロニアに匹敵するだけの力のある軍勢と国力を作り上げることだからな」

「それはおおいに結構なことだ」

　グインは皮肉なようでもなく言った。

「中原がキタイの脅威から守られさえすれば、俺にとって関心があるのはケイロニアの平和と安寧と繁栄だけだ。それをさまたげるものはゴーラ王であれ、許しておきはせぬし、また、その最終的な目的のためならば、俺はどのような妥協でもする。それが王たるものの責務だと俺は考えているからな。——が、ともあれ、この休戦、そして同盟は、ナリスどのが、自らのいのちをもってあがなって下さったものだと考えるがいい。そして、そのことの意味をいずれは考えることだ。俺は、クリスタル解放、レムス王からのパロの主権奪還の戦いを、ナリスどのから遺託されてひきついだ、とみなしている。ナリスどのは、俺に、クリスタルでなすべき任務を残してゆかれた。俺はそれをするだろう。そして、それをさまたげるものはとりのける、それだけだ。——それで、よろしいか、ヴァレリウス宰相」

「何も問題はございません」

ヴァレリウスはいくぶん頬を紅潮させた。

「ナリスさま——アル・ジェニウスもお喜びのことと存じます。ケイロニア王グイン陛下のご厚情に心より感謝申し上げます」

「よかろう」

ゆっくりとグインはいった。

「明朝、そこもとはマルガにたたれる。——リンダどの、ほか神聖パロのかたがたの説得はおまかせする。が、ケイロニア王グインは、神聖パロを代表する者としてヴァレリウス宰相とのあいだに話の決着をみたとみなす。それも、よろしいな」

「よろしゅうございます」

「クリスタル以降については、また、事態の推移に従い、ご連絡をとる。魔道師ギールどのは、引き続き拝借していてよろしいか」

「どうぞ、お連れ下さい。もう一人、連絡係を増やしても——もう、私どもにはあまり必要はございません」

「ではそうしていただこう。むろん、ナリスどののご遺言の条々についても、とどこおりなくご連絡する。くだんの古代機械についても、俺のほうもいろいろと考えておく」

「すべて、おまかせいたします。——すべてをグインどのにおまかせする、と申すのが、わがあるじの、さいごの言葉でもございましたし」

「明早朝、明けると同時にケイロニア軍はこの地をはなれ北上する。——明朝はお目にかかっている時間もあるまい。——それでは、ふしぎな短いえにしとなったが、浅からぬえにしでもあったと思う。——ナリスどのに、俺からも手向けを」

「お願いいたします」

しずかに、ヴァレリウスは云った。グインはゆっくりと立ち上がって寝台の前にゆき、新しいろうそくをとりあげ、火をうつして、それを燭台のあいている台のところにたてた。指先で没薬をつまみ、香合のなかに落とす。ふわりと、甘い没薬の香がたちこめる。

「いま少し、語り合う時間を持ちたかったおかただった」

グインは云った。

「古代機械についても、またその他のもろもろについても。——たぐいまれなおかたでもあられたし——すぐれた施政者としての資質をすべて備えてもおられただろう。だが、ヤーンのみめぐみあって、ひとたびのみなりとも、まみえるを得たことに、ヤーンへの感謝を。ナリスどの、やすらかにお眠りあれ」

「有難う存じます。あるじにかわりまして、心より、陛下のすべてのご厚情につきせぬ御礼を」

ヴァレリウスはうやうやしく云った。グインはイシュトヴァーンをふりむき、うながした。

「おぬしはもう、ナリスどのへのさいごの別れはすませたのか。……ならばいい。行こう。俺は明朝一番でここをたつ。ゴーラ軍もそうするつもりならば、急がねば間に合わぬぞ」

「ああ……」

イシュトヴァーンは奇妙なぼんやりした表情で、寝台の上を見つめた。それからふいに身をふるわせた。

「グイン」

頼りない子供のようにふるえる声で、イシュトヴァーンはささやいた。

「本当に——本当なんだろうか？　本当に——ナリスさまは……もう——？　俺は……これまでに、何千人という——ひょっとしたら何万人という人間を……殺したり、目の前で死ぬのを見たり……してきたはずなのに——全然、信じられない……どうしても、信じられない、ナリスさまが……もう——いない、なんて……だって、そこにいるじゃないか……いつもどおりに……すぐにも目を開いて、ああ、イシュトヴァーン、って……」

「お前は、ナリスどののことを、本当に好きだったのだな。イシュトヴァーン」

グインは口調をかえた。優しく、なだめるように云った。

「お前はもしかして——死のことも、喪失のことも——何も知らぬからこそ、あのように修羅の死神として戦えたのかもしれんな、イシュトヴァーン。——だとしたら、本当に好きだと思った人の死を前にしたとき、はじめて、お前にも新しい物思う季節がやってくるのかもしれぬ。——それもよきかな、といわねばなるまい。お前はいままでは、あまりにも——《災いを呼ぶ男》でありすぎる。それも、いたずらに——おのれが何をしているかも知らぬままにな」

「ナリスさまは……俺のことを……運命共同体になるんだって……いってくれたんだ」

イシュトヴァーンは、ひとりごとのようにつぶやいた。

「俺は……こんなことになるつもりなんかなかった。——俺は——俺は、ナリスさまにイシュタールに一緒にきてほしかったんだ……」

「ああ」

グインはうなづいた。

「世の災いや悲しみの半分はつねに、そうするつもりのなかった、何も知らぬ手によってもたらされるのだろうな。——さあ、もう行こう。明日は早い。お前が人生ではじめての本当の悲しみに出会ったとしても、それも、いつかは、それが正しかったのだと思えるようになる」

「そんなとき——来ねえよ。絶対に」

反抗的にイシュトヴァーンは云った。そして、ぐいと乱暴に拳で目もとをぬぐった。

「俺は……一生、きのうのことを夢に見てるような気がする。……お前らなんかにはわからないきずなが——確かに、俺とナリスさまのあいだにはあったんだ。俺は、それをたのみにこんなパロの奥までやってきたのに——だのに……」

「もういい。イシュトヴァーン、行くぞ」

グインは云った。そして、立ち上がり、出ていった。

イシュトヴァーンは、一瞬、まるで、どうしていいかわからぬように、寝台と出口とを見比べた。それから、いきなり、激しく唇をかみしめると、からだをそこからもぎはなすようにして、ふりむきもせずに出ていった。

室に残されたのは、またヴァレリウスひとりになった。ヴァレリウスは、何ひとつ、おこらなかったかのように、そっとろうそくのしんをきり、イシュトヴァーンがたむけた花を、寝台の上から、祭壇の上にもどし、そして没薬をつぎたした。そっとしずかなドアのノックの音がして、入ってきたのはヨナだった。

「失礼いたします」

「……」

「小姓頭のカイが最前、自害しました」

「……」

わかっている、というように、ヴァレリウスはうなづいた。

「ここでしようとしていたので、他のところでしろといってやった。気の毒だけれども、ここを汚されるのは……私が許せない」

「遺書も残さずに、裏庭の、寝室の見える木の下で胸をついてこときれていました。——マルガでも、おそらく、ご葬儀の前後になるとまた、殉死者が何人も出ることになるのではないかと思っております」

「……………」

「リンダさまのほうは、とりあえず、少々取り乱して泣いておられましたので、モース医師と相談して、黒蓮の粉をごく少量さしあげて、眠っていただきました。——ずっとおやすみになれぬようでしたので、おやすみにならないと」

「ああ」

「グイン陛下と、お話し合いを?」

「ああ。——神聖パロはたぶん、瓦壊した格好になる。——グイン陛下は、ナリスさまの遺託をおききとどけになって、クリスタル解放、レムス軍からパロの支配権奪還のため、明朝クリスタルめがけて立たれる」

「やはり、そういうことになりましたか……」

「我々は、明朝、ナリスさまをお守りして、マルガへ——」

「はい。もう手配はできております」

「あなたは、これから――？」

ふと興味をひかれたように、ヴァレリウスはきいた。

「もともと私はヴァラキアの人間だから、ということですか？――何回も申し上げているとおり、私はもう、パロの人間です。――ただ、ナリスさまがお命じになったことがありますので――いったん、私は、離脱して、ケイロニア軍についてクリスタル攻防戦に参加します。――といって、ミロク教徒ですから、戦ったりするわけでもありませんし、ケイロニア軍では、私ごときの参謀など必要とはしないでしょうが、クリスタル・パレスが奪還されてから、古代機械について、ナリスさまが私にたくされたことをグイン陛下にお伝えしなくてはなりませんから」

「そうか」

「ナリスさまのことは、ヴァレリウスさまにお任せするかっこうになってしまいますが……」

「ああ」

「それがすんだら――ただちに、マルガなり、サラミスなり――おいでのところに戻ります。――最終的には、ナリスさまは、どこをおくつきとされるとお考えですか、ヴァレリウスさまは？」

「まだ何も――」

ふっと、ヴァレリウスは笑った。風のような笑いだった。

「それどころか――本当は、ご遺骸を盗み出して……クリスタル・パレスが奪還されたら、古代機械を使って――私に使えるものならば、という夢物語だけれどもね――ノスフェラスへ逃亡して――そこに、ナリスさまをお連れして、ご一緒に……そんなこともちょっと考えたのだけれども。でも、グインどのにお願いして、たとえば――あれほどゆきたがっておられたのだから――ナリスさまのご遺髪を少し……ノスフェラスに、塔でもたてて、そちらにおおさめすることができれば、心楽しまれるかなと――そんなことはあてもなく思っているのだけれどね」

「それは、よろしいですね」

泣き尽くしたあとの静けさのように、ヨナのおもてにも、かすかな微笑がうかんでいた。

「そのさいには、ぜひ、私もお供して、ノスフェラスに参りましょう。お供させてくださいね、ヴァレリウスさま」

「いいけれどもね……」

ヴァレリウスは笑った。

「もう、それきり帰ってこないかもしれないよ。私は」

「それはそれで……なかなか、よろしいですよ……そうしたら、私は、また、クリスタルに戻って……クリスタルになるか、どこになるかわかりませんが、ナリスさまのお墓を守ってひっそりと暮らしますから。――できるものなら、ナリスさまだけではなく――そのかたわらに、ランや……カイの墓もたててやりたいな。あとで、カイの遺品もなにか貰っておいてやりましょう。あれは、一緒にマルガに連れていってやっても――とりあえずはそこに葬ることになるでしょうからね」

「……………」

「こうなるだろうな、とはわかっていました。――カイのことですが」

「ああ。そうだね」

「若いですからね。――それに、きのうからもう、そう考えていることはわかっていました。ずっとあのカラム水の吸呑みをはなさないで――『私がいないと、万事につけてナリスさまがお困りになるから……早く、おそばにゆかなくてはいけないのですが……』と云っていましたからね」

「……………」

「不思議ですね。……私は、本当にナリスさまを――心から、この世で至上の、二人とないわがあるじと思っておりましたが――殉死しようという気持は最初からなかった。私は、ミロク教徒だからかな。それとも、ヴァラキア人だからかな……私は、冷たいと

――忠誠心がうすいと、お考えになりますか、ヴァレリウスさま?」

「いや」

ヴァレリウスは笑った。

「私も、まだまだ殉死どころではない。――やらなくてはならないことが多すぎて……それは、それだけのことなのではないかな。――お供して、死を選ぶものと、選ばないものと。――いずれにせよ、何年かののちには、われわれも、おそばにゆけることになるよ」

「そうですね」

ヨナはつぶやいた。

「なんだか――長い夢をみていたようですね。……ヴァレリウスさまなら、もっとでしょう。――私は、アムブラから、カリナエへ、そしてマルガへ、そしてジェニュアへ……というような、夢でしかないけれど、ヴァレリウスさまは……ずっとずっとその前からの……」

「ああ」

静かにヴァレリウスは云った。そして、そっと、寝台のかたわらに寄り、手をさしのべて、冷たい白い頬にしずかにふれた。

「長い夢というよりは……これから先が――私にとっては、あなたに追いつくまでの長

い長い夢にすぎないだろうと思いますよ……ナリスさま」

　ヨナにではなく、ナリスに、彼はやさしくささやきかけた。

「でも、何もご心配なさることはありませんよ。──そう、長いことお待たせするとは思いませんから……よしんば、何か面白いことができて、ちょっと思ったよりも時間がかかるとしても──もう、あなたはどこへもゆかずに待っていてくださるでしょうし──」

「ヴァレリウスさま……」

　ヨナがそっと云った。

「しばらく──グインどのに随行して、ご葬儀にも──仮葬儀にも出られないことになるかもしれません。何か──ご遺品を頂戴してゆくわけにゆかないでしょうか?」

「ああ……」

　ヴァレリウスはしばらく考えていた。それから、うなづいて、寝台の下に入れてあった、このあわただしいマルガからの拉致行のあいだ、ナリスの必要な日用品や愛用の品などを入れた革の箱をひきだし、それを開いて、ナリスの長いことすでに使っていなかった愛用のペンと首にかける水晶のまじない玉を差し出した。

「あなたには──これが最も、きっとナリスさまとのつながりだと思うから……」

「そうですね。──有難うございます。ヴァレリウスさま」

ヨナは静かにそれを受け取り、立ち上がった。

「それでは、私も、グイン陛下に随行して、クリスタル攻めに加わる用意をしてまいります。――お手数をおかけしてしまいますが、ご葬儀のこと、そのほか……よしなにお願いいたします」

「ああ。ご心配なく」

「また、ご連絡いたしますから。おりにふれて」

ヨナはつと寝台のかたわらに寄って、ミロク教徒らしくあわせた両手の先をまっすぐにナリスのほうにむけて拝礼し、それから、何か、ミロクの聖句をつぶやいた。

それから、ヴァレリウスに手をさしだそうかと一瞬の逡巡をみせ、それからかすかに笑って、丁重に頭を下げて出ていった。

今度こそ、ヴァレリウスは、ただひとりであった。もう、入ってくるものの気配もない。ヴァレリウスは、そっと結界を結ぶ印を切り、もう誰も入ってこられぬよう扉の内側に結界を張り巡らしてしまった。それから、きちんとひきだした革の箱を元通りにし、乱れた布や花をもとに戻し、そして寝台のかたわらに寄った。

「せっかくの静かなお見送りの晩だというのに――なかなか、ひっそりとものを思っていることさえできませんね……」

ヴァレリウスは寝台にむかってささやいた。

「でももう、これで――朝までは、ご一緒にいられるでしょう。――ずっと、お話していても、もう、かまいませんね……私だけが話していると、うるさく思われることももうないでしょう。――不思議ですね。こうなってからのほうが――これからのほうが、ずっと、ご一緒にいられる、という気持が――私は強いような気がします。……朝になって――いや、マルガについて、またなんだかんだと忙しくなって――もし、あなたのこのうつし身がいよいよ埋葬される、などというときになったら、また違うのかな。――そうしたら、それはそのときのことですね。――そう、もう――あなたのうつし身が失われた、などというつまらぬことで、私たちのきずなが切れるわけではない。カイの気持もわからないではありませんが……どうせ、何年かののちには、そうすることにもなるのでしょうが――いまはまだ、おそばにはゆきませんよ。……私にはいろいろと、やらなくてはならないことがあるのですからね。あなたのかわりに――いろいろと面倒なことばかりで、そのことを思っただけでも、カイが羨ましい、という気はしてきますけれども。でも……大丈夫です。いつも、ご一緒にいますからね――ナリスさま、これでもう――二度と、はなればなれになることもなく。……そうですね。このところずいぶんいろいろとあって――私もあっちだの、こっちだの、大騒ぎしていましたしね。じっさい、なんという騒ぎだったことだろう。――だがもう、いいですね。それに今夜は――すくなくとも今夜ひと晩くらいは……思う存分に贅沢に使ったっていいでしょう。

あなたのかたわらで、あなたとともにしたいろいろな瞬間のことを考えながら。——本当に、いろいろなことがありましたね。……本当に、いろいろなことが。なんだか、何百年もあったのかと思うほど、いろいろなことが、あとからあとから。——でも、お約束を守ることができて、ヴァレリウスは本当に嬉しいですよ。……これでいいんですね。すべては、これでご満足ですよね。……グインにも会わせてさしあげることができたし……ノスフェラスには、いずれどうにかして、連れていって差し上げますよ。ご一緒に——参りましょうね。ナリスさま——一緒ですよ。もうこれからは……いつまでも、ご一緒ですよ…………永遠に」

あとがき

「グイン・サーガ」八十七巻をお届けします。

なんといったらいいのでしょうか。今回は、今回にかぎり、これまでの八十七巻の歴史のなかではじめて、「あとがきは休ませて貰うべきだろうか」ともかなり考えました。しかし、それはいっそうおかしな話になってしまうし——といって、「あとがきから先に読み始める」習慣のかたには、これにまさるひどいネタバレはなくなってしまいます。だからといって、内容について一切ふれることなくこれだけの枚数を、まったく関係のないことを書いて終わりにする、というのは、これは私の望ましい方法でもありませんし、それは、逆に、あとがきから先にではなく、この巻の内容を先にお読みになったかたにとっては、「なぜ、この巻のあとにこのあとがきが可能なのか」ということになってしまいそうな気がします。いろいろ考えた結果、このように決めました。今回にかぎり、たとえあとがきから読むのが習慣のかたがおいでになろうと、それは本来からいけばかなりおかしな話というか、倒錯的な習慣でもあるわけですから、そういう習慣をおもちのかたは、ここでおやめ下さい。ネタバレをおいやだと思うならです。さもなければ、あえて覚悟をお決めいただくためにこのさきを続けてお読み下さい。ここでこのように警告をさしあげておこうと思います。そして、あえて、ネタバレのあとがきを書きます。そうでなくては、今回のこの巻には、あとがきをつけることは私には不可能です。

ついに、このときがやってきてしまいました。あるいはもう、タイトルからも、お察しかもしれないとは思います。この巻については、あえて天狼パティオでタイトルあても出来ませんでした。どのようにヒントを出したり、朗らかにレスしていいかもわからなかったからです。

いずれくることはわかっていたのに、不覚悟である、といわれてもしかたないかもしれません。しかし、これは私にとっては、本当に大きな出来事でした。二〇〇二年がはじまったとき、「今年はかなりの激動の年になるだろう」とは予感しました。そのとおり、これはいまだかつてなかったくらいすさまじい激動につぐ激動、激震につぐ激震のような一年となりました。その一年のさいごに、いま、私は、「ついにここにきてしまったのか」という思いでいっぱいです。

もしもこれが、通常の作家であれば、通常のシリーズ、通常の作品であれば、それはとてつもないただの感傷ということになってしまい、私はきわめて感傷的な馬鹿者、ということになってしまうのでしょう。だが、おそらくそうはなりますまい。きっと、皆さんは、ことに当初からずっとこのシリーズにつきあって下さったかたほど、この同じ気持ちはわかちあって下さるでしょう。ああ、とうとう――という。いつかくるとは思っていた、だけど、とうとうきてしまった、という。これを機会にこのシリーズにさよならされるかたもおそらくかなりの数いられるのではないか、とさえ思います。そういうかたに対しては、これはさいごの一巻になってしまうでしょう。逆に、べつだん、私の感慨をおろかしいとお考えのかたもおいでになるでしょう。それはそれで正しいと思います。しかし、私にとっては、これは本当に特別な巻になりました。本来は最初の予告では「八十巻で」というようなことをいっておりました。でも、これはきわめて不思議なことでしたが、彼は八十巻ではその運命を自ら拒否しました。そう、彼自身が拒否したのです。

このような経験を、作家生活を二十五年間送ってきて、たった三回経験しました。「朝日のあたる家」で今西良を殺そうとしたとき。二十一歳で「真夜中の天使」を書いて、いったん書き上げてそのラストが滝が良を殺す、というものであったとき。「真夜中の天使」では、書き終わったその瞬間になにものかが「それは間違いだ」と激しく私をなじりはじめ、ついに私がさいごのノートの一冊を全面改稿して、良が殺されるかわりに滝に君臨する、というラストにあらためるまで、やまりませんでした。「朝日のあたる家」では、私がしごく無責任に通常の小説の登場人物のように殺そうとした今西良は断固として殺されることを拒否し、私は「これほどちゃんと若くて健康で（とりあえずは）当人が死ぬ気のない人間が突然、あと一巻で死んだとしたら、それはそれが小説だからだ。それはただのご都合主義でしかないのだ」と悟って、彼の自由にまかせることにしました。その結果、彼が「自首する」といいだしたとき、私は腰をぬかすほど驚きました。じっさいどれほど驚いたでしょう。どれほど、「でもそれをたとえどんなに自動書記だなんだといいはったところで書いているのはお前当人だろう。作り事だ、きれいごとだ、ただの飾りことばだ」といわれても、本当なのだから仕方ありません。そして、良は裁きをうけるために去ってゆき、透はそれを待っていることを選びました。全部、私には、かれら自身の選択としか感じられなかった。そして、良を殺そうとしたなど、なんて愚かだったのだろうと思いました。

いったんは《彼》もまた、同じように、おのれの意志力で、私があてがおうとした運命を切り抜けて、生きのびることに決めたような感じでした。でもそれが、ふしぎなことに八十巻からあと、巻をおって薄くなってゆくのを私はひどく不安な気持ちで見ていました。そしてこの巻、これもまた、信じていただけなくてもいいます。私はこんなことになるとは夢にも信じてさえいなかった、予感もなかった。イシュトヴァーン同様そんなつもりはかけらもなかった。第三話に入ったとき、私がどれほど愕然としたのか、だって第二話までそんなようすはなかったじゃないか、と思いながら、そこのくだりにさしかかったとき、「ああ、もう駄目なのだ」とわかりました。これは私にどうこうできるようなことじゃない、これがこの人の運命だったのだ、と。いまだに私はこのくだりが読み返せません。ゲラを見るときも、いつものように読みながら丁寧に文章をチェックしてゆくことができず、校正からの指摘だけをさっとチェックしてすませてしまいました。私にとっては、ただの――本当にただの、きわめて親しい、本当に生きている、本当に大切な人を喪うのとまったく同じ体験でした。しばらく茫然としていましたし、この十二月十日までのタイムラグが、あいだに外伝がはさまったためにさらに二ヶ月のびて、そのあいだおもてにも出すことができないのが苦しく辛くてしょうがありませんでした。同時に、これがおおやけになってしまうのをすごく恐れて、もうこの原稿をもって国外に逃げよう、と思ったくらいです。それでも、これはただの「本当にあったこと」であるがゆえに、私の自由でこれを「もっと穏当に」――もっとのぞましいように書き換えてしまうことなど、不可能なことでした。そのたびに私は「ああ、これは本当に起こってしまったことなのだ」と思いました。

いまでも、彼がいないなんて信じられません。彼がいなくなったら、どうしよう、とずっと思っていました。彼のいない「グイン・サーガ」なんて、と思っていました。そうなってしまって、これから先、どうしてゆくんだろう、と思いながら、現在八十九巻を書いているという自分自身が信じられない、ような思いさえします。ほかにもむろんグインもいればイシュトもいれば、たくさんの愛しい人たちがいるにもかかわらず。それほど私にとっては彼は大きな存在でした。ここに出てくる数万人の人物たち、そのなかの数百人の主要人物たち、そのなかでさらに数十人の本当のメインの人びとにはみんなどこかしらたぶん「私」のかけらが入っているのだと思いますが、そのなかでも、彼とイシュトだけは私にとっては「分身」そのものだったし、だからいっそう、それが私より先にいなくなるときがこようとは——でも、不思議なことです。なぜか「ああ、これはもう起こってしまったことで、変えられないのだ」ということだけがひどくひしひしと身にこたえてきます。いまだに寂しくてならないし、何かが抜け落ちてしまったような気もしています。しかし同時にまた、時が流れて、きょうはじめてこれを手にする皆さんよりも、たぶん四ヶ月先んじていた分、私は、四ヶ月分いたみがうすらいでもいます。

「たかが小説の登場人物」にここまで思い入れるなんてなんて馬鹿なんだろう、なんて下らないんだろう、なんて「大人たち」に馬鹿にされそうなことだろう——そして、本当に自分がおかしいんじゃないか、などと思いつつ——《彼》とすごした年月、さまざまな思い出、「凶星」のことも、彼の苦難にみちた短い人生のことも、何もかもがそれこそ走馬灯のように胸をよぎってゆきます。彼がいてくれたおかげで私はどれほど助かったか、彼にたくした私の人生や思いがどれほどあったか——そこにはいったい、「たかが小説の登場人物」といいながら、普通の仲のいい知人、生きている人間の知人を喪うのとどこが違うのか——遠くにあって、あまり気持も通わない生きた知り合いよりも、申し訳ないけれど、私にとっては彼のほうがはるかに身近にいる、生き生きと生々しく息づいていた人でした。その病気もその不幸も、その気位もその誇りも、そのゆがみもその傲慢も、そのおろかしさもその知性も、そのかなしみもそのはかなさも——すべてを愛していましたし、それはすべて生身の人間によせる気持と何もかわらないものであったと思います。もう、こんなに思い入れる登場人物があらたに登場することは決してないだろう、とさえ思います——おそらくは、決してそうではない、時が流れてゆけばまたあらたな出会いもあるに違いないのですが。いまはそうは思えない。いまは、私は、ただ、まだ「彼なきあと」四ヶ月たっただけの世界にいるのですから。

このところ、アムネリスも死に、カラヴィアのランも戦死し、そしてこの巨大な喪失に殉死してゆくものもあって、グインの世界も音たてて変わりつつあります。そして物語は、最初には「最終巻」であった百巻という「とりあえずのゴール」まで、いよいよあと十冊と少しをあますだけ、というところまでひたひたと流れてきています。これでよかったのだ、彼はこうなるしかなかったのだ、それにさいごにこうなれて、むしろ幸せだったのじゃないか、と自分にいいきかせつつも、まだ惜別の思いはどうすることもできません。むしろまた、それは、それがなくあっさりと「次のお気に入り」に移ってゆけるような程度のものなら、それだけのことでしかないのでしょう。

これは二〇〇二年の、というだけでなく、私の生涯にとってもきわめて大きな出来事のひとつだったと思います。私は彼が本当に好きでした。しょうもないところもあったし、いろいろと彼のことで批判もされたし、また今回のことで批判されもするのでしょうけれど、ひとつだけ確かなのは「私が彼を生んだのだ」ということです。生んだ親が、その子にさきだたれて悲しくないわけがありましょうか。親にさきだつほどの不幸はない、といいます。だけれども、いずれにせよ、作品は本当のわが子とは違って、いつかは作者を残してはなれてゆくものではあるのですが。

ともあれ、ちょっと前にはこの「十二月十日」がくるのがとても恐しい、と思っていたこともありましたし、でもいまは、これが運命であったことを理解していただけないのであれば、それはもう仕方ないし、と思っています。まだ、私としては、アルバムをたぐるようにして、外伝で彼に会うだけの気持の落ち着きが出来ていません。まだ、そうやって死者をよみがえらせていいものかどうかもわからないような状態です。でも、いつかは、「そういえばこんなこともあったねえ」と、追憶を語るようにしてまた彼と会いたい、そのときには、きっと彼は健康で、まだ足も行動の自由も失ってない、傲慢でなんでも出来て光り輝くような、あの鼻持ちならない、だけど「この世で一番美しい」貴公子のすがたをとりもどしてにっこりと笑っていてくれることと思います。

やすらかに、アルド・ナリス。あなたはもう還ってこないのですね。まだ信じられませんが、ほかに言葉もありません。あなたは私にとって、他の百人のうち九十八人の私が生んだ人々とさえ比べ物にならないほどに大きな存在でした。あなたに出会えてよかったと思うし、あなたがいまはすべての苦しみを去ってやすらかになっているのだと思えば、私もあなたのいない寂しさが少しだけやすらぐような気もします。この世と同じように、「グイン・サーガ」も、あなたがいなくなっても滔々と続き、流れてゆきます。だが、いつかはその滔々たる流れの旅も終わり、そして、その前人未踏の大河の造物主ヤーンその人であったのか、それともただのちっぽけな速記者であったのかだんだんわからなくなりつつあるこの私のこの世での旅も終わります。すべては去ってゆく、このことだけが真実であるのだから。だから、やすらかに眠ってください。長いあいだ、お疲れさまでした。そして本当にありがとう。さようなら、ナリスさま。異例のあとがきになってしまいました。あとがきというより、これは弔辞だったのかもしれません。この大河のゆくさきを、どこかから見守っていてくれたらと思います。

二〇〇二年十一月八日(金)

神楽坂倶楽部 URL
http://homepage2.nifty.com/kaguraclub/

天狼星通信オンライン URL
http://member.nifty.ne.jp/tenro_tomokai/

天狼叢書の通販などを含む天狼プロダクションの最新情報は、
天狼通信オンラインでご案内しています。
これらの情報を郵送でご希望のかたは、長型 4 号封筒に返送先をご記入のうえ 80 円切手を貼った返信用封筒を同封して、お問い合わせください。（受付締切等はございません）

〒 162-0805 東京都新宿区矢来町 109　神楽坂ローズビル 3F
（株）天狼プロダクション情報案内グイン・サーガ 87 係

話題作

あなたとワルツを踊りたい
栗本　薫

執拗なストーキングがいつしか殺意へ。あたらしい恐怖のかたちを描くサイコスリラー。

山本周五郎賞受賞
ダックコール
稲見一良

ドロップアウトした青年が、河原の石に鳥を描く中年男性に惹かれて夢見た六つの物語。

日本推理作家協会賞受賞
沈黙の教室
折原　一

いじめのあった中学校の同窓会を標的に、殺人計画が進行する。錯綜する謎とサスペンス

暗闇の教室 I百物語の夜
折原　一

干上がったダム底の廃校で百物語が呼び出す怪異と殺人。『沈黙の教室』に続く入魂作！

暗闇の教室 II悪夢、ふたたび
折原　一

「百物語の夜」から二十年後、ふたたび関係者を襲う悪夢。謎と眩暈にみちた戦慄の傑作

話題作

遙かなり神々の座

谷　甲州

登山家の滝沢が隊長を引き受けた登山隊の正体は、武装ゲリラだった。本格山岳冒険小説

神々の座を越えて〔上・下〕

谷　甲州

友人の窮地を知り、滝沢が目指したヒマラヤの山々には政治の罠が。迫力の山岳冒険小説

天を越える旅人

谷　甲州

不思議な夢に導かれ、チベットの少年僧ミグマは輪廻転生を探る旅に出る。山岳幻想巨篇

たまご猫

皆川博子

夢とうつつの狭間に生じる不条理を題材にして描く、妖しくも美しい十篇の恐怖のかたち

吉川英治文学賞受賞

死の泉

皆川博子

第二次大戦末期、ナチの産院に身を置くマルガレーテが見た地獄とは？　悪と愛の黙示録

神林長平作品

あなたの魂に安らぎあれ

火星を支配するアンドロイド社会で囁かれる終末予言とは!?　記念すべきデビュー長篇。

狐と踊れ

未来社会の奇妙な人間模様を描いたＳＦコンテスト入選作ほか六篇を収録する第一作品集

言葉使い師

言語活動が禁止された無言世界を描く表題作ほか、神林ＳＦの原点ともいえる六篇を収録

猶予の月　上下

時間のない世界を舞台に言葉・機械・人間を極限まで追究した、神林ＳＦの集大成的巨篇

魂の駆動体

老人が余生を賭けたクルマの設計図が遠未来の人類遺跡から発掘された——著者の新境地

著者略歴　早稲田大学文学部卒
作家　著書『さらしなにっき』
『あなたとワルツを踊りたい』
『蜃気楼の彼方』『運命の糸車』
（以上早川書房刊）他多数

HM = Hayakawa Mystery
SF = Science Fiction
JA = Japanese Author
NV = Novel
NF = Nonfiction
FT = Fantasy

グイン・サーガ㊇

ヤーンの時《とき》の時《とき》

〈JA706〉

二〇〇二年十二月十日　印刷
二〇〇二年十二月十五日　発行
（定価はカバーに表示してあります）

著者　栗《くり》本《もと》　薫《かおる》
発行者　早川　浩
印刷者　大柴正明
発行所　株式会社　早川書房

郵便番号　一〇一 - 〇〇四六
東京都千代田区神田多町二ノ二
電話　〇三 - 三二五二 - 三一一一（大代表）
振替　〇〇一六〇 - 三 - 四七七九九
http://www.hayakawa-online.co.jp

乱丁・落丁本は小社制作部宛お送り下さい。
送料小社負担にてお取りかえいたします。

印刷・株式会社亨有堂印刷所　製本・大口製本印刷株式会社

ISBN4-15-030706-7 C0193